Cyfres y Fodrwy

IECHYD I'R GALON

Addasiad Cymraeg o *The Girl Between* gan
Sheila Douglas

Cyhoeddiadau Mei

PENNOD 1

"Os rhoi di'r arwydd 'na i fyny," meddai Ceri Wyn, "ddo' i byth adra eto."

Safai ar ganol llawr y gegin gefn a'i hwyneb main yn goch gan ddicter.

"Wel?" gofynnodd yn fygythiol, "beth amdani?" a dyrnodd yr arwydd tramgwyddus a orweddai ar y dresel.

Edrychodd Luned, ei chwaer, ar y darn caledfwrdd y buasai eu brawd yn ei baentio mor ofalus y noson cynt. Mewn llythrennau gwynion ar gefndir du, lluniasai Geraint y geiriau:

GWELY A BRECWAST NEU LETY LLAWN CYFNOD HIR NEU FYR.

"Eistedda, Ceri," awgrymodd Luned, "a bwyta dy frecwast. Mwy o de, Geraint?"

Pedair ar ddeg oedd Geraint, a chanddo lai o amynedd o beth mwdrel na'i chwaer.

"Paid â dwad adra 'ta," mwmiodd. "Dim ffliwjan o ots gynnon ni!"

"Geraint!" ebychodd Luned. Rhythodd Ceri'n gas arno.

"Yr hen drychfil bach," meddai cyn troi i ymosod yn chwyrn ar ei chwaer. "Arnat ti mae'r bai. Rwyt ti'n ei ddifetha fo'n rhacs." Tynnodd gadair at y bwrdd ac eistedd arni'n solet cyn gwthio'i chwpan tuag at Luned. "Does gen i ddim amser i daeru. Rhaid i mi fod yn yr ysbyty erbyn naw." Meddyg tŷ yn Ysbyty Gyffredinol Menai oedd Ceri, a'i gwaith o'r pwys mwyaf ganddi.

Tywalltodd Luned gwpanaid o de iddi gan geisio'i gorau i gadw'i limpin.

"Does gen ti ddim lle i daeru," meddai wrthi. "Mae arnon ni angen arian, a dyma un ffordd i ennill ein tamaid."

Llwyeidiodd Ceri siwgr i'w the a'i droi'n ddicllon.

"Mae'r holl beth yn . . . yn ein diraddio ni! Roedd Dad yn arfer bod yn uwch-weithredwr. Mi fyddai'n arfer bod yn . . . yn *rhywun* yn yr ardal 'ma, a ninnau efo fo. Beth ddeudith pobl?"

"Oes ots beth ddeudan nhw?" gofynnodd Luned. "Mae digonedd o bobl yn cadw ymwelwyr y dyddiau yma. Rydan ni'n lwcus fod y tŷ mor fawr."

"Does dim angen peth fel hyn o gwbl. Mi allai Dad gael gwaith unwaith eto cyn bo hir."

"Ar ôl dwy flynedd?" murmurodd Luned, gan gofio'r hysbysebion lu a atebai ei thad. Cawsai ei ddiswyddo pan lyncwyd y cwmni peirianyddol y gweithiai iddo gan un arall. Clwyfwyd balchder ei thad i'r byw gan yr ergyd; nid oedd byth wedi adennill ei hunan-barch.

"Fasai Mam byth wedi caniatáu'r fath beth petai hi'n fyw," haerodd Ceri'n ddyfal. Gwisgodd ei siaced a gafael yn agoriadau ei char. "Roeddwn i o ddifri', Luned. Ddo' i ddim adra os dechreui di gadw lojars."

Aeth allan dan gau'r drws yn glep.

"Gwynt teg ar ei hôl hi," meddai Geraint. "Oedd hi o ddifri?"

Un felodrama fawr oedd bywyd i Ceri.

"Nac oedd, mwy na thebyg," atebodd Luned dan wenu arno. "Gymeri di fwy o dost? Faint gymeri di?"

"Dau i ddechra cychwyn." Bwytâi Geraint fel ceffyl. "Pan soniodd hi am Mam gynnau, wyt ti'n meddwl ei bod hi'n iawn?"

"Nac ydi siŵr. Roedd Mam yn gallach o'r hanner. Fasai hi ddim wedi mwynhau gweld pobl ddiarth ar draws ei thŷ ym mhobman, ond mi fasai wedi eu dioddef nhw oherwydd mai dyna ydi'r ateb amlwg i'n problem ni. Hynny neu werthu a symud i dŷ llai.''

Ochneidiodd Luned o gofio'r ffrae a fuasai ar fin datblygu pan aethant ati i bwyso a mesur eu dewis. Nid oedd ei thad, yn ddwfn ym mhwll ei ddifrawder, wedi cymryd unrhyw ran yn y drafodaeth. Dadleuai Ceri o blaid gwerthu ac, yn ôl ei harfer, cytunai Siwan, yr ieuengaf o'r tair chwaer yn un ar bymtheg oed. Geraint oedd yr unig un a gefnogai Luned.

''Os lojars neu werthu ydi'r dewis,'' ebychodd ar y pryd, ''wel cadw lojars amdani. Mi fedra i ddioddef ymwelwyr os oes raid, ond fedrwn i ddim dioddef gwerthu'n tŷ ni yn dŷ haf.''

Yn awr, llawciodd ei dost a neidio ar ei draed.

''Tyrd yn dy flaen, Lun. Mi roddwn ni o i fyny i gael gweld sut olwg fydd arno fo.''

Trawodd yr arwydd o dan ei gesail, codi'r bocs tŵls a'i gwneud hi am y drws. Ddeng munud yn ddiweddarach roedd yr arwydd yn ei le.

''Mae o'n edrych yn iawn,'' meddai Luned dan gamu'n ôl oddi wrth y cilbost er mwyn gweld yn well.

''Dydi o ddim yn hollol syth,'' sylwodd ei brawd yn amheus. ''Ella' dylwn i ei ailosod o?''

Perffeithydd oedd Geraint. Gwenodd Luned ac ysgwyd ei phen.

''Paid â thrafferthu. Mi wnaiff y tro. Dim ond gobeithio 'rŵan y daw rhywun heibio a'i weld o.''

''Daw siŵr iawn. Mae digon o bobl o gwmpas yr adeg yma o'r flwyddyn.''

O na allai hi fod yr un mor obeithiol, meddyliodd Luned. Os na chyrhaeddai'r gwesteion, ofer yr holl anghydfod.

Canai bronfraith yn y goeden gcirios lawn blodau ger y llidiart. Anadlodd Luned aer y bore'n ddwfn i'w hysgyfaint. Diwrnod godidog o Fai ydoedd, ac edrychai'r ardd ffrynt ar ei gorau, yn llachar gan welyau o diwlip a chlychau'r gog, ynghyd â'r prysgwydd a blanasai ei mam pan ddaethai i Ben Bryn gyntaf yn wraig ifanc. Pan hiraethai Luned am ei mam, a oedd wedi marw ers tair blynedd bellach, teimlai mai gardd brydferth oedd y gofeb orau y gallai ei rhoi iddi, yn atgof byw o'r gorffennol. Dyna pam y treuliai gymaint o amser yn garddio, er mwyn ei chadw cyn hardded ag y cadwai ei mam hi yn ei dydd.

Roedd y tŷ hefyd yn werth ei weld: ffermdy cerrig gosgeiddig o'r ddeunawfed ganrif, ac ynddo ddigon o le i letya o leiaf chwech o bobl ychwanegol, os gellid eu denu.

"Rwyt ti'n siŵr o fod yn iawn, Geraint," meddai Luned gan deimlo'n hyderus yn sydyn. "Mae digonedd o geir yn dod heibio."

Trigai teulu'r Wyniaid ym Môn, ar godiad tir uwchlaw afon Menai, a theithiai llawer o ymwelwyr i'r ynys heb drefnu llety ymlaen llaw. Hwyrach y byddai'n rhaid iddynt ddisgwyl am ddiwrnod neu ddau cyn i rai o'r ymwelwyr hynny alw, ond roedd rhywun yn siŵr o'u holi am le cyn bo hir iawn.

Cydiodd Geraint mewn erfyn a oedd wedi syrthio, ynghyd â bocs o sgriws, a dilyn ei chwaer ar hyd llwybr yr ardd.

"Oes arnat ti f'angen i bora 'ma?" Daeth rhyddhad i'w wyneb pan ysgydwodd ei phen. "Rydw i am fynd i weld Dei. Ella'r awn ni i bysgota."

Codai Geraint yn gynnar ar foreau Sadwrn fel ar bob bore arall, ond nid felly Siwan, a arhosai yn ei gwely hyd amser cinio pe câi. Aeth Luned yn ôl i'r gegin gefn a llenwi'r tegell. Yr ystafell fawr, gysurus, hon oedd cegin y ffermdy gwreiddiol, y briws, fel y'i gelwid, ac er nad ffermwyr mo'r Wyniaid, hon yn anad un oedd eu hystafell fyw. Diolch byth, meddyliodd Luned, na fu llawer o draul ar y gegin ffrynt a'r parlwr yn ddiweddar — roeddent mewn cyflwr ardderchog o hyd. Câi'r ymwelwyr fwyta yn y gegin ffrynt ac eistedd i wylio'r teledu lliw yn y parlwr.

Tywalltodd Luned ddwy gwpanaid o de a mynd â hwy i fynd i ben uchaf y tŷ. Dro'n ôl roedd ei thad wedi penderfynu symud o'r llofft ffrynt fawr a edrychai dros y Fenai tuag Arfon, a dewis cysgu mewn llofft fach yn y daflod.

Aeth ei ferch i mewn ato i agor y llenni. Ymestynnodd John Wyn a mwmian yn swrth, "Ydw i wedi cysgu'n hwyr? Mae'n ddrwg gen i."

Dododd Luned yr hambwrdd ar y bwrdd ger ei wely a phlygodd i gusanu ei dalcen. "Dim brys, Dad. Ond mi wnâi les i chi fynd allan i'r ardd a hithau mor braf."

Gŵr tua hanner cant a phump oed oedd ei thad, ond edrychai gryn ddeng mlynedd yn hŷn. Prin arlliw oedd ar ôl o'r gŵr busnes egnïol ac effeithlon. Gorchuddiai twf deuddydd o farf ei ên oherwydd nad âi i drafferth i eillio ambell fore. Roedd ei wyneb yn welw: anaml y mentrai o'r tŷ ar dywydd garw. Codai'n hwyr ac eistedd yn ei gwman wrth dân y briws yn llymeitian wisgi na allent ei fforddio. Poenai Luned amdano fwyfwy bob dydd, er y ceisiai beidio â dangos iddo.

"Wel, Dad, mae'r arwydd i fyny, coeliwch neu beidio," meddai.

"Ydi o, Luned? Fydd o fawr o iws, mae'n siŵr." Pwysodd ar ei benelin ac ymestyn at y te.

Cododd Luned y gwpan arall a dychwelyd i lawr y grisiau at lofft Siwan. Agorodd y llenni i ddatgelu lluniau sêr y byd pop yn papuro'r parwydydd a dillad yn un llanast ym mhobman.

Tynnodd y ganfas oddi ar wallt eurgoch ei chwaer.

"Deffra, Siw! Mae'n hanner awr wedi naw."

Llechai gwrid cwsg ar ruddiau Siwan. Agorodd y llygaid brown tywyll a gyferbynnai mor drawiadol â'i gwallt coch, ac meddai'n flin, "Be' 'di'r ots? Dos oddi 'ma, Luned." Tynnodd y gynfas yn ôl dros ei phen.

"Ti ofynnodd i mi dy ddeffro di. Dydi Steffan ddim yn dod yma erbyn deg?"

Ailymddangosodd Siwan ac estyn ei braich ifanc lefn tuag at y gwpan de. Edrychai'n hyfryd o ddel yn ei choban flodeuog, gyda'i gwallt yn rhaeadrau o gylch ei hwyneb. Er gwaethaf yr holl drafferthion ariannol, câi Siwan flas ar fyw.

"Ydi Ceri wedi mynd?" gofynnodd.

"Ydi, ers meitin."

"Oedd gwell hwyl arni bora 'ma?"

"Gwaeth os rhywbeth. Roedd hi'n deud na ddôi hi ddim adra pe bawn i'n rhoi'r arwydd yna i fyny."

Gorweddodd Siwan yn ôl ar y clustogau, dan syllu ar ei chwaer drwy flew hirion ei hamrannau.

"Ond mi roist o'r un fath?"

"Siŵr iawn. Ac roeddwn i o ddifri' neithiwr, Siw. Os daw yma lawer o bobl mi fydd raid i ti symud i un o lofftydd y daflod."

Gwthiodd Siwan ei gwefus isaf allan yn fygythiol.

"Dim ond mewn anghaffael," ychwanegodd Luned yn frysiog; ni allai wynebu chwaer mewn sterics yr eildro. "Mi fydd wythnosau cyn hynny, os bydd angen i ti symud o gwbl."

"Ceri sy'n iawn... mae dy gynllun di'n anobeithiol," meddai Siwan yn bwdlyd. "Mi fedren ni 'fadael i dŷ llai."

"A sut caem ni arian at ein byw?"

"Drwy werthu'r fan yma."

"Ac ar ôl i bres hwnnw ddarfod, sut wedyn? O, Siwan fach, fedri di ddim gweld mai'r tŷ yma ydi'r unig obaith sy gynnon ni? Pan fyddi di a Geraint wedi tyfu, ella medrwn ni fynd oddi 'ma; dim cynt." Cododd oddi ar draed y gwely. "Mae'r dŵr yn boeth os hoffet ti gael cawod. Mi wnei di dwtio'r llofft yma cyn mynd allan, gwnei?"

Tynnodd Siwan ystumiau a gwyddai Luned y gadawai'r llofft yn union fel yr oedd. I gadarnhau ei hannibyniaeth. I ddangos ei bod yn flin. Dim ond i dynnu'n groes. Hwyrach y gallai rhywun faddau i Siwan, fodd bynnag; un ar bymtheg oedd hi, hen oed annifyr. Dylasai fod gan Ceri a oedd yn bedair ar hugain ac yn feddyg llawn, ddigon o aeddfedrwydd i dderbyn y sefyllfa'n ddi-gŵyn.

Ochneidiodd Luned a mynd i lawr y grisiau gan geisio cofio beth arall oedd ganddi i'w wneud. Roedd eisoes wedi glanhau'r llofftydd sbâr, a chwyro nes fod pob dodrefnyn yn sgleinio fel ceiniog newydd. Roedd wedi llenwi'r cypyrddau bwyd, ac wedi pobi dwsin o basteiod cig ac o dartenni a'u rhoi yn y rhewgell. Cyngor Mrs Rowlands, cymdoges a fuasai'n cadw ymwelwyr ers blynyddoedd, oedd hynny.

Mrs Rowlands a awgrymodd yn y lle cyntaf y gallai hithau hefyd gadw ymwelwyr. Ar amrantiad, penderfynodd ei ffonio i ddweud wrthi fod y diwrnod mawr wedi dod.

"Mae'r arwydd i fyny ar y cilbost er y bore 'ma. 'Sgwn i a fydd raid i ni ddisgwyl yn hir?"

"Dim os pery'r tywydd braf yma," meddai Mrs Rowlands yn hyderus. "Mae'n tŷ ni'n llawn dros y Sul, felly os daw rhywun arall i holi mi anfona i nhw acw atat ti."

Cadwodd ei gair. Am dri o'r gloch y prynhawn cyrhaeddodd yr ymwelwyr cyntaf, pâr priod yn eu tridegau gyda dau o blant. Gwirionodd y pedwar ar yr hen dŷ gyda thrawstiau duon ei nenfwd a chwareli bychain ei ffenestri.

"Dw i erioed wedi bod mewn hen dŷ fel hwn," eglurodd y fam. "Oes yna siawns am bryd o fwyd ar fyr rybudd fel hyn, tybed?"

"Oes, wrth gwrs," gwenodd Luned, gan fendithio Mrs Rowlands am awgrymu y dylai lenwi'r rhewgell. "Beth am bastai gig? A salad ffrwythau wedyn, efo hufen ffres o'r fferm drws nesa?"

"Ardderchog," meddai'r wraig ieuanc. Yna, heb lawer o obaith yn ei llais ychwanegodd, "Mae'n debyg na allen i ddim cael paned o de?"

"Cewch siŵr iawn. Dewch i lawr pan fyddwch chi'n barod."

Rhuthrodd Luned i'r briws yn llawn brwdfrydedd.

"Teulu bach annwyl," meddai wrth Geraint, gan roi llestri te ar hambwrdd a thywallt pacedaid o fisgedi ar blât. Cipiodd Geraint ddwy ohonynt a slapiodd hithau ei law.

"Ara deg rŵan," ymbiliodd yntau. "Does dim angen mynd i stêm."

Digwyddodd Luned daro cipolwg ar ei llun yn y drych bach uwchben y sinc. Edrychai'n wynepgoch, cynhyrfus a blêr, felly cribodd ei gwallt yn frysiog a golchi ei dwylo.

"A does dim angen eu llyfu nhw," meddai Geraint gyda didwylledd brawd. "Dim ond pobl ydyn nhw fel ninnau."

Chwarddodd Luned yn hunanymwybodol braidd. Beirniad llym ar ei gwell oedd Geraint. A oedd hi'n siarad gormod? Ei nerfau oedd yn gyfrifol; geneth dawel oedd hi fel arfer, bob amser yn hunanfeddiannol. Diolchai fod ei thad a Siwan wedi mynd o'r tŷ, a Ceri ar ddyletswydd yn yr ysbyty dros y Sul. Roedd yn haws dod i ben heb neb yno, ar wahân i Geraint, wrth gwrs, a oedd, er gwaethaf ei feirniadu, yn gadernid o'i phlaid.

Arhosodd yr ymwelwyr hyd fore Llun, a thra oedd Luned yn hongian dillad eu gwelyau ar y lein gwelodd fen y Bwrdd Telathrebu yn cyrraedd y buarth. Daeth dau ddyn ifanc ohoni a gofyn a oedd yno ystafelloedd ar gael.

"Peirianwyr ydyn ni. Mi fyddwn ni yma am bythefnos o leia."

Pethau'n gwella bob dydd, meddyliodd Luned wrth ddangos y ddwy lofft sengl yng nghefn y tŷ iddynt. Eglurodd y dynion mai Mrs Rowlands a'u hanfonodd yno, a mynegodd y ddau eu hawydd i fwyta gyda'r teulu yn y briws. Ond o gofio agwedd y lleill, gwrthododd Luned yn gwrtais. Ni allai oddef gweld Siwan yn eu hanwybyddu a'i thad yn rhochian arnynt bob pryd bwyd! Eto, chwarae teg i'r teulu, ni chawsant amser eto i gynefino â dieithriaid yn eu mysg. Ac am Ceri, ni fwriadai hi ddod adref o gwbl, yn ôl pob golwg.

Ar ôl cryn ddeng niwrnod o weini ar y ddau beiriannydd ac amryw o ymwelwyr eraill a fu'n aros dros nos, derbyniodd Luned alwad ffôn oddi wrth ysgrifennydd cynorthwyol Ysbyty Gyffredinol Menai.

"Tybed allech chi helpu un o'n meddygon ni, Miss Wyn? Newydd gyrraedd mae o, ac un o'r nyrsys yma wedi clywed gan gymdoges i chi eich bod chi wedi agor gwesty."

"Ar ei ben ei hun mae'r meddyg? Ynte oes ganddo fo deulu?"

"Nac oes, Miss Wyn. Dyn dibriod ydi o. Mr

Ffransis, ein llawfeddyg ymgynghorol newydd ni.''

Daeth ton o bryder dros Luned: tybiasai mai un o'r meddygon iau a oedd dan sylw. Byddai ymgynghorydd yn hŷn, yn mynnu mwy o dendans, efallai. A beth ddywedai Ceri? Gwyddai fod ei chwaer yn ymwybodol iawn o'i safle fel dynes broffesiynol. Yn sicr ni charai i un o'i chydweithwyr uwch sylweddoli fod ei theulu'n cadw pwt o dŷ lojin.

''Wel, Mr Bowen, hwyrach y dylwn i drafod hyn efo fy chwaer. Mi allai fod braidd yn chwithig iddi, cael rhywun o'r ysbyty yma i aros.''

Eglurodd Mr Bowen yn swta fod Mr Ffransis wedi anfon gair at ysgrifennydd yr ysbyty ers tro byd, yn gofyn iddo drefnu llety ar ei gyfer hyd nes y byddai ei dŷ ei hun yn barod.

''Yn anffodus,'' ychwanegodd Mr Bowen dan ochneidio, ''wnaed dim ar y pryd — nid fy mai i, yn siŵr i chi — ac erbyn i mi glywed am gais Mr Ffransis roedd yn rhy hwyr. Fel y gwyddoch chi mae'r regata fawr yna'n cael ei chynnal o Fiwmaris yr wythnos nesaf a holl westai'r ardal yn llawn. Does dim pwrpas iddo fynd i westy'r wythnos yma a chael ei droi allan yr wythnos nesa.''

Cynhelid y regata fawr unwaith y flwyddyn mewn gwahanol rannau o Brydain, ac eleni dôi i Fiwmaris am y tro cyntaf. Meddyliodd Luned am eiliad, yna meddai braidd yn ansicr, ''Mae'n debyg y medrwn i ei gymryd o am bythefnos, wedyn mi fedrai symud allan i westy ar ôl y regata.''

''Diolch o galon i chi, 'ngeneth i. Rhyddhad mawr i mi.''

Trefnwyd i Mr Ffransis alw yno y noson honno.

Ar ôl rhoi'r ffôn i lawr aeth Luned i fyny'r grisiau i archwilio'r llofftydd. Hen lofft ei rhieni oedd y brafiaf, un eang a phapur hardd arni. Hefyd yr oedd iddi ystafell ymolchi. O dan y ffenestr safai biwrô ei mam, a chadair freichiau gysurus yn un gornel. Ni allai Mr Ffransis lai na'i hoffi.

Aeth Luned yn ôl i lawr y grisiau ac allan i'r ardd gyda Blodyn, yr hen sbaniel, wrth ei sodlau. Diflanasai ei thad am ei gyntun ac ni ddisgwyliai hithau Siwan a Geraint o'r ysgol am awr arall. Cyfle iddi chwynnu ychydig cyn ei thacluso'i hun ar gyfer ymweliad Mr Ffransis.

Hanner awr yn ddiweddarach roedd wedi ymgolli yn ei gwaith, gyda Blodyn yn gorwedd yn fodlon wrth ei hymyl dan chwyrnu'n ysgafn. Gallai glywed mwmian tawel y gwenyn yn y llwyn blodau gerllaw, a thywynnai'r haul yn danbaid ar ei chefn. Diwrnod poethaf y flwyddyn, meddyliodd. Diosgodd ei siwmper, a pharhau i weithio'n ddyfal mewn crys T a jîns, gyda hen fflachod o sandalau am ei thraed.

Toc, clywodd sŵn traed ar y llwybr, ond ni throes ei phen gan iddi feddwl mai ei thad oedd wedi codi. Yna chwyrnodd Blodyn yn isel a cheisiodd Luned hithau syllu i'r haul a'i llygaid yn hanner cau.

"Esgusodwch fi," meddai llais dwfn. "Allech chi 'weud wrthyf i ble mae Miss Wyn?"

Roedd yn dalach na hi o gryn hanner troedfedd a mwy: dyn gosgeiddig, hyderus, a golwg flin arno.

"Fi ydi Miss Wyn, a chithau..." wrth gwrs, dylasai fod wedi sylweddoli, "chi ydi Mr Ffransis? Ond roeddwn i'n meddwl mai heno roeddach chi'n dod."

Archwiliodd hi'n fanwl â'i lygaid, o'i chorun i sodlau ei thraed a'i hen fflachod blêr. Ych-a-fi, meddyliodd Luned. Yn hunanymwybodol taclusodd ei gwallt. Roedd ganddo lygaid llwyd, treiddgar, a'r rheini'n colli dim. Mi ro i fy mhen i'w dorri bod ei lawfeddygon tŷ yn ei gasáu o, meddyliodd Luned, dan sgrwtian yn anghysurus dan ei drem ddiysgog.

"Er mwyn popeth!" ebychodd yntau'n gythruddgar. "Geneth ifanc ŷch chi. Disgwylies i weld rhywun hŷn, 'da mwy o brofiad."

"Rydw i'n ddwy ar hugain," atebodd Luned gan geisio adennill ei hurddas, "ac yn berffaith atebol."

Ochneidiodd Mr Ffransis, a gwthio'i ddwylo'n ddwfn i bocedi ei siaced drwsiadus.

"Byddai'n well 'da fi aros mewn gwesty, ond mae'r ysbyty wedi cawlio pethau, felly rhaid i fi dderbyn beth bynnag alla i gael." Edrychodd ar y tŷ. "Hen le eitha taclus. Fe wnaiff y tro hyd nes i fi ddod o hyd i rywle mwy addas."

"Y cythraul nawddoglyd," meddyliodd Luned yn ddicllon wrth ei arwain i'r cyntedd.

Yr eiliad honno daeth ei thad i lawr y grisiau gyda'i lygaid yn drwm gan gwsg, ei dei ar goll a barf deuddydd ar ei wyneb. Llusgodd heibio iddynt dan fwmian "Pnawn da" dan ei ddannedd a diflannu drwy ddrws y ffrynt. Syllodd Mr Ffransis ar ei ôl gyda diflastod amlwg.

"Un o'ch ymwelwyr chi, Miss Wyn?"

"Fy nhad," atebodd Luned yn sych. "Mae'r llofft ar y llawr cyntaf," meddai wrth ddringo'r grisiau o'i flaen.

Safodd Mr Ffransis ar ganol llawr hen lofft ei rhieni gan edrych o'i gwmpas yn feirniadol, tra crwydrai Luned tuag at y ffenestri. Digwyddodd daro cip ar ei hun yn nrych y bwrdd gwisgo, a chafodd fraw o weld y fath olwg arni. Rhaid ei bod wedi rhwbio'i hwyneb poeth â'i dwylo budron tra'n garddio, gan fod baw hyd ei thrwyn a'i bochau i gyd; ac edrychai ei chrys T, un glân y bore hwnnw, fel pe bai wedi cysgu ynddo am wythnos. Dim rhyfedd iddi roi'r fath gamargraff i Mr Ffransis!

Yn y drych, gwelodd ef yn dod i sefyll y tu ôl iddi, a throdd i'w wynebu gyda hances bapur yn ei llaw. Pan sylwodd arno'n lledwenu, cochodd at ei chlustiau.

"Wyddwn i ddim 'mod i lawn mor fudr." Sychodd ei bochau budron â'r hances, a'u baeddu'n waeth fyth.

"'Falle gelech chi fwy o lwc 'da dŵr a sebon," awgrymodd. "Fe gymera i'r stafell wely, Miss Wyn, os yw'r stafell eistedd cystal â hi. A rhaid i fi gael stafell molchi i fi fy hunan."

"Dyma'r stafell molchi." Agorodd Luned y drws i ddatgelu ystafell lanwaith las a gwyn. "Mae'r stafell eistedd odanom ni," meddai, "yn edrych allan i'r ardd."

"Byddai'n well 'da fi gael un ar y llawr hyn."

"Amhosib, mae arna i ofn. Dim ond llofftydd sydd i fyny'r grisiau."

Cuchiodd ef, yna pwyntiodd tuag at ddrws a arweiniai i lofft arall.

"Beth am hon?" Agorodd y drws ac edrych o'i gwmpas, yna'i gau. "Dim ond symud y gwelyau mâs a mynd â chadair neu ddwy mewn ac fe wnâi hi'r tro. Rhaid i fi gael stafell eistedd."

Cythruddwyd Luned gan ei ffordd awdurdodol, a dywedodd wrtho fod y gwesteion eraill yn berffaith fodlon eistedd yn y parlwr i ymlacio.

"Gwesteion eraill?" ffieiddiodd. "Ŷch chi ddim yn disgwyl i fi rannu stafell eistedd, Miss Wyn? Allwn i byth â gwneud 'ny."

"Mi fedrech chi eistedd yn eich llofft pe baech chi ddim yn hoffi'u cwmni nhw," meddai Luned yn finiog, yna gwridodd dan ei drem ddirmygus.

"A chroesawu f'ymwelwyr yno hefyd? Rhaid i fi gael stafell arall, Miss Wyn, neu bydda i'n gofyn i

Bowen chwilio am le gwell i fi.''

Yr oedd Luned ar fin dweud wrtho fod croeso iddo fynd i rhywle arall, ond wedi eiliad o ystyried ailfeddyliodd. Pe bai Mr Ffransis yn llogi dwy ystafell, byddai'n rhaid iddo dalu am ddwy, ond dim ond un dyn a fyddai ganddi hi i ofalu amdano. Golygai hynny lai o waith, ac er ei bod yn ymdopi'n well nag y disgwyliai, yn naturiol roedd mwy i'w wneud pan arhosai pobl dros nos yn unig na phe bai ganddi rywun yn lletya am bythefnos.

''O'r gorau, Mr Ffransis,'' meddai'n araf, ''mi gewch chi'r ddwy stafell. Ond cofiwch mai llofftydd dwbl ydi'r ddwy. Bydd rhaid i chi dalu'n llawn amdanyn nhw.''

''Wrth gwrs,'' meddai'n ddi-hid. Amlwg nad oedd arian yn broblem iddo.

''Fyddwch chi'n bwyta yn yr ysbyty?'' gofynnodd Luned.

''Fy nghinio, byddaf. Ond bydd angen pryd fin nos arna i. A brecwast am chwarter i wyth. Iawn?''

''Bydd am wn i. Am hanner awr wedi wyth mae'r rhan fwyaf yn cael brecwast.''

''Cwarter i wyth,'' meddai'n bendant. ''Rwy'n moyn cyrraedd yr ysbyty'n gynnar. Rwy'n gobeithio fod cogyddes dda 'da chi.''

Teimlodd Luned ei gwrid yn ymledu.

''Fi sy'n coginio. Does neb wedi cwyno hyd yn hyn.''

Ymddangosodd syndod a pheth difyrrwch ar wyneb Mr Ffransis. Yna syllodd yn finiog arni a'i hanesmwytho. ''Ers pryd ŷch chi'n cadw gwesty, Miss Wyn?''

Syllodd Luned yn ôl arno, yn gonion gwyllt wrthi hi ei hun am wrido mor hawdd. Llyncodd ei phoer a'i ateb yn onest, yn ôl ei harfer.

"Ers rhyw ddeng niwrnod, mewn gwirionedd. Ond does dim raid i chi boeni, rydw i'n ddigon tebol ac yn berffaith gymwys i'r gwaith. Fi sy wedi edrych ar ôl y tŷ yma ers blynyddoedd, byth er pan fu mam farw, â deud y gwir..." Gwyddai ei bod yn prepian gormod; gwnâi'r dyn hwn iddi deimlo'n annifyr. "P'run bynnag," gorffennodd yn ddifywyd, "mi fedrwch adael os na fydd o'n plesio, medrwch?"

"Yn gwmws," cytunodd yntau'n gyflym, a chychwyn tua'r grisiau. Aethant allan i'r buarth, lle safai ei MG glas yn disgleirio yn yr haul. Yr union gar iddo fo, meddyliodd Luned. Byddai Geraint yn siŵr o wirioni.

"Fory byddwch chi'n cyrraedd?" gofynnodd iddo.

"Byddai'n well 'da fi ddod heno. Dyw fy stafell i yn yr ysbyty ddim yn ddigonol o gwbl. Fydd hynny'n gyfleus, Miss Wyn?" Anwesodd ben Blodyn, a fuasai'n eu dilyn i bobman, yna ymollyngodd i sedd isel yr MG a gafael yn yr allwedd.

Cuchiodd Luned. "Fydd y stafell eistedd ddim yn barod. Rhaid i mi gael help i symud y dodrefn."

Amneidiodd â'i law fawr ddestlus. "Cewch chi wneud 'ny fory, Miss Wyn, rwy'n ddyn rhesymol. Fe fydda i'n ôl erbyn naw."

Wedi gwylio'r MG yn troi allan o'r buarth, ochneidiodd Luned yn ddwfn a dychwelyd i'r tŷ. Ni fyddai Mr Ffransis yn ŵr hawdd ei drin. Anodd ei blesio a phrin ei ganmol. Gormod o hyder; gormod o lwyddiant yn rhy ifanc. Onid dynion hŷn a benodid yn ymgynghorwyr fel arfer? Yn ei dridegau cynnar yr oedd hwn, yn ôl ei olwg. Rhaid iddi holi Ceri.

PENNOD 2

Penderfynodd Luned aildrefnu ystafell Mr Ffransis
y noson honno cyn iddo ddychwelyd. Ni fyddai
ganddi neb ond ei thad i'w helpu yn ystod y dydd,
a phrin ei fod ef yn ddigon abl i gario dodrefn trwm.
Gallai Geraint symud y celfi ysgafn gyda hi, a phe
bai'n gofyn yn glên, hwyrach y cynorthwyai'r
peirianwyr hi gyda'r gwelyau.

"Siŵr iawn, câr," gwenodd Bob, yr un swnllyd,
hapus. "Rywbryd leici di. Cofia ofyn."

Roeddynt yn wŷr ifanc cryfion, a llwyddasant i
stryffaglio i fyny'r grisiau i'r daflod gyda'r dodrefn
heb beri unrhyw niwed iddynt eu hunain, er i'r
papur wal ddioddef cryn dipyn. Tybed oedd y stafell
eistedd yn edrych braidd yn wag bellach, meddyliodd
Luned. Cludodd hi a Geraint y gadair freichiau a
biwrô bach ei mam drwodd o'r llofft arall.

"Cadair arall," meddai'n fyfyrgar. "A bwrdd
hwyrach. Ia, a rŷg, dyna ni."

"Af i i 'nôl y gadair," cynigiodd Bob. Ymdrechodd
yn lew i ruthro'n ôl gyda hi, nes peri i'w gorff
blonegog chwysu'n domen. Ar ôl dod â'r bwrdd a'r
rŷg drwodd, gadawodd Geraint a Harri hwy.

"Ble wyt ti eisio'r gadair 'ma?" gofynnodd Bob.
"Nene...wrth y tân?"

"Ia, am wn i, yntê?" atebodd Luned. Sodrodd yntau
hi yn ei lle a gwenodd Luned arno'n werthfawrogol.
"Wn i ddim sut i ddiolch i chi am fod mor garedig,"
meddai.

"Croeso, câr," meddai Bob gyda gwên lydan yn
hollti ei wyneb. "Wyt ti eisio gwybod sut i ddiolch
i mi 'te?" Dynesodd tuag ati a'i fwriad yn amlwg.

Ciliodd Luned yn frysiog, ond daliodd Bob hi a gafael yn ei breichiau. "Dim ond sws bach, cariad. Dw i'n dy ffansïo di ers tro, wyddost ti. Mae Harri'n licio dy chwaer fach di, ond does gen i ddim i ddweud wrth gochan," meddai wrth dynnu ei law dros wallt brown hir Luned.

Ac yntau wedi helpu cymaint, ni fynnai hi ei frifo am bris yn y byd, felly, braidd yn anfoddog, gadawodd iddo'i chusanu. Ond dyfnhaodd Bob ei gusan a thynhau ei freichiau a dechreuodd hithau wingo. Trodd ei phen oddi wrtho dan ymladd yn galed am ei gwynt.

"Bob, plîs... gollyngwch fi."

Gwenodd Bob i lawr arni, yn amlwg yn ei ogoniant.

"Ti'n bisin, wyt wir!" A'r eiliad honno, agorodd rhywun y drws.

Rhoes Luned hergwd i Bob, ac wrth geisio camu'n ôl yn gyflym, baglodd dros y rŷg a syrthio'n un sypyn i'r gadair freichiau. Tra'n ymdrechu i godi, sylwodd er gofid iddi mai Mr Ffransis a ddaethai i mewn, gyda bag ym mhob llaw. Gallai weld oddi wrth ei wyneb ei fod yn sylweddoli'n union beth a fu'n digwydd. Dododd ei fagiau ar lawr ac edrych o'i gwmpas.

"Ardderchog, Miss Wyn. Doeddwn i ddim yn disgwyl i'r lle fod yn barod."

Syllodd ar Bob, gan sylwi ar y crys lliwgar, y jîns tynn, a'r esgidiau mawr brown.

Gwenodd Bob arno. "Y boi yma'n barod bob amser! I bopeth!" meddai gan godi ei law arnynt a'u gadael.

Edrychai Mr Ffransis yn hynod ddirmygus pan ddaethai i mewn i'r ystafell; a Luned hithau druan mor awyddus i wneud iawn am yr argraff anffafriol a roesai iddo yn y prynhawn. Roedd wedi newid o'i hen ddillad garddio, a gwisgo sgert ddenim dwt a blows las brydferth er mwyn ymddangos yn hunanfeddiannol ac atebol. Yn lle hynny daethai Mr Ffransis o hyd iddi yn ei ystafell ef ei hun yn cael ei chusanu gan Bob. Roedd arni eisiau egluro iddo, ond ni wyddai ym mhle i ddechrau.

Ymddangosai'r llawfeddyg yn ddiamynedd, fel pe bai am gael gwared â hi.

"Gwela i chi yn y bore, Miss Wyn. Rwy'n moyn brecwast twym. A choffi. Iawn?"

"Cig moch a wyau? Rhywbeth felly?" murmurodd Luned gan gychwyn tua'r drws. Yna'n ddifyfyr, ychwanegodd, "Ein cynorthwyo ni i symud y dodrefn roedd Bob. Mae o braidd yn... wel... yn hy, ac... yn.. roedd o'n meddwl fod arna i gusan neu ddwy iddo fo am ei waith," gorffennodd yn gloff.

Cododd Mr Ffransis un o'i fagiau a'i ddodi ar y bwrdd.

"Felly'n wir, Miss Wyn?" meddai'n ddiflas a di-hid. Plygodd dros y bag a gwgodd Luned ar ei gorun.

"Nos dawch, Mr Ffransis." Gwyddai fod ei llais yn bigog a chas, a chaeodd y drws o'i hôl heb geisio cuddio'i rhyddhad.

Tua deg o'r gloch, a'r teulu wedi ymgasglu yn y briws i gael diod poeth cyn mynd i'r gwely, ffoniodd Ceri. Er ei bod yn dal yn bur anfoddog, roedd bellach yn amlwg wedi penderfynu derbyn y newidiadau yn ei chartref.

"Sut mae hi acw?" gofynnodd i Luned. "Gweithio'n galed iawn am ddigon 'chydig, mae'n siŵr."

"Mae'n debyg bod yna ffyrdd haws i wneud arian," cytunodd Luned yn dawel, "ond yn anffodus dydw i ddim wedi cael fy hyfforddi ar eu cyfer nhw."

22

Bu distawrwydd am ennyd.

"Rwyt ti'n gwneud i mi deimlo'n euog sobor, Luned. Wyt ti'n dal i warafun gorfod rhoi'r gorau i dy fiwsig?"

"Dim cymaint ag y byddwn i," atebodd Luned. "Dim angen i ti deimlo'n euog, Ceri. Pa ddewis oedd gynnon ni? Roedd gen i bob amser fwy i'w ddweud wrth waith tŷ nag oedd gen ti."

"Roeddat ti'n fwy anhunanol na fi hefyd," meddai Ceri'n onest. "Wyt ti'n meddwl y medret ti ailgydio ynddo fo pan fydd Siwan a Geraint wedi tyfu?"

"Hwyrach." Ceisiodd Luned swnio'n ddi-hid. Nid ar chwarae bach y câi rhywun ei dderbyn i'r coleg cerdd lle'r astudiai hi pan drawyd ei mam yn wael. Aethai'r Deon yn gynddeiriog pan adawasai ar ôl ei thymor cyntaf. Roedd yn lluchio gyrfa wych dros ei hysgwydd, meddai. Roedd ganddi dalent. Siawns na allai ei theulu ymdopi hebddi rywsut?

Gwrandawsai Luned arno, ac ateb yn drist nad oedd ganddi ddewis. Rhaid fyddai iddi anghofio gyrfa a rhoi'r teulu'n gyntaf. Dim ond un ar ddeg oed ydoedd Geraint ar y pryd, a Siwan yn dair ar ddeg, y ddau'n gorfod wynebu blynyddoedd anodd glasoed heb eu mam. Gwyddent eisoes nad oedd gobaith am iachâd iddi. Suddodd ei thad i ddigalondid dwfn pan glywodd y newydd drwg: nid oedd ganddo ef unrhyw adnoddau wrth gefn i gysuro'i blant lleiaf, ac yr oedd Ceri hithau ar hanner ei chwrs meddygaeth.

"Hwyrach y do' i adra fory," meddai Ceri, a thynnu Luned yn ôl i'r presennol. Derbyniodd hithau'r cymodi'n llawen.

"O, go dda." Yna cofiodd am eu gwestai diweddaraf. "Ceri, wyt ti wedi cyfarfod y llawfeddyg ymgynghorol newydd, Mr Ffransis?"

"Marc Ffransis!" llefodd Ceri. "Do, wrth gwrs. Pam wyt ti'n holi?"

"Mae o'n aros yma am wythnos neu ddwy. Mr Bowen ffoniodd o'r ysbyty a gofyn am le..."

"Luned! O'r nefoedd!"

"Ffafr fawr, medda fo."

"Doedd dim rhaid i ti gytuno," cyfarthodd Ceri, wedi ei chyffroi'n lân. "Mi wyddost sut rydw i'n teimlo ynglŷn â chadw lojars. A Marc o bawb! Sut medret ti?"

"Wyt ti'n ei nabod o'n dda 'ta?"

"Ei nabod o? Ydw siŵr iawn!" meddai Ceri'n flin. "Fo oedd fy nghofrestrydd i yn y Dywysoges pan wnes i lawfeddygaeth. Mi fydd o'n methu dirnad o gwbl... fy chwaer i'n cadw mymryn o westy!"

Ar ôl cyfarfod y balch Fistar Ffransis, amheuai Luned fod Ceri yn llygad ei lle, ond ni allai dynnu'n ôl bellach a theimlai fod ei chwaer, fel arfer, yn gorliwio.

"Wyt ti am siarad efo Siwan?" awgrymodd Luned. "Gwelwn di fory 'ta."

"Hwyrach," meddai Ceri'n oeraidd cyn i Luned drosglwyddo'r ffôn i'w chwaer fach.

Rhyfeddai Luned i Ceri benderfynu derbyn swydd yn Ysbyty Menai. Roedd ei chwaer yn ferch glyfar ac uchelgeisiol, ac o wrando arni'n siarad yn ystod ei dyddiau coleg, yr unig le gwerth chweil gweithio ynddo yng Nghymru oedd Caerdydd, a'r ysbyty orau oll oedd Ysbyty Tywysoges Cymru. Efallai mai awydd helpu ei theulu a'i hysgogodd, er mai prin y gallai Luned gredu hynny. Ar ôl graddio'n feddyg rhoesai Ceri gymorth ariannol iddynt pan fyddent yn wirioneddol brin, ond ei lles ei hun a ddôi'n gyntaf bob amser ganddi. Roedd yn ddigon hoff ohonynt, ond nid oedd yn barod i'w hanhwyluso'i hunan er eu mwyn.

"Rydw i'n mynd i 'ngwely," cyhoeddodd Geraint. "'Sgwn i fasa Mr Ffransis yn rhoi lifft i mi yn y car anfarwol yna fory?"

"Beiddia di ofyn iddo fo!" ebychodd Luned. "Be sydd o'i le ar y bws?"

Wrth y drws, troes Geraint tuag ati a gwên ddireidus ar ei wyneb.

"Dim, ond nad ydi o ddim yn MG!"

Wedi i Siwan fynd i'r gwely hefyd, tynnodd Luned ei chadair at ochr cadair ei thad.

"Dad bach, mi wn i'n iawn eich bod chitha'n casáu gweld yr holl bobl yma ar draws eich tŷ, yn union fel Ceri, ond diolch i chi am beidio cwyno."

Cododd ei ysgwyddau'n ddienaid.

"Does gen i ddim hawl i gwyno. Gan na fedra i ddim cynnal fy nheulu fy hun mi ddylwn ddiolch dy fod di'n medru."

Roedd hunandosturi a chwerwder yn prysur ddifetha cymeriad ei thad. Sylweddolai Luned iddo gael mwy na'i siâr o ofid, ond hiraethai am ei weld yn cydio'n gadarnach mewn bywyd. Roedd ganddo lu o gyfeillion yn yr ardal, ond mynnai ei ynysu ei hun yn llwyr oddi wrthynt i gyd. Dim ond ei hen ffrindiau, y rhai mwyaf penderfynol fel eu gweinidog a'u meddyg teulu, a wrthodai adael llonydd iddo.

Fore trannoeth, neidiodd Luned o'i gwely yr eiliad y canodd y cloc larwm. Dododd sleisennau o gig moch yn y badell ffrïo, torrodd ŵy a thafellu tomato, yna aeth ati i baratoi brechdanau Siwan. Bwytâi Geraint ginio ysgol, diolch byth, ond gwrthodai Siwan. Gresyn fod Mr Ffransis yn mynnu cael ei frecwast cyn yr ymwelwyr eraill. Hyd yn hyn llwyddai Luned i ddod i ben â gofalu am ei brawd a'i chwaer cyn i brysurdeb y bore ddechrau.

Yr oedd wedi gosod y bwrdd yn y gegin ffrynt y noson cynt i arbed amser. Yn awr, er fod Vaughan Hughes yn parablu pymtheg yn y dwsin ar y radio, dim ond rhyw led-wrando arno a wnâi gan ei bod yn poeni am frecwast Mr Ffransis. Os dechreuai ei ffrïo'n rhy fuan fe losgai'r cig moch. Pe bai'n oedi gormod byddai yntau'n siŵr o gwyno am nad oedd ei fwyd yn barod.

"S'mae, Lun?" Geraint fyddai'r cyntaf i godi bob bore. "Dydi 'mrecwast i byth yn barod?"

"Wyt ti'n meddwl gallet ti a Mr Ffransis fwyta efo'ch gilydd?"

"Yn fan 'ma?"

"Nage, siŵr. Ar unwaith oeddwn i'n feddwl, rhag i mi orfod ffrïo ddwywaith." Troes y gwres ymlaen dan y badell, pwyso botwm y tegell trydan a chychwyn trylifo'r coffi.

Gadawsai'r drws rhwng y briws a'r gegin ffrynt ar agor, a chyn gynted ag y daeth Mr Ffransis i lawr aeth ati i roi ei fwyd ar blât.

"Bore da, Mr Ffransis," meddai'n gwrtais, a gosod ei gig moch ac ŵy ar y bwrdd.

Symudodd yntau oddi wrth y ffenestr, a golwg eithaf dymunol ar ei wyneb, er mawr ryddhad iddi.

"Bore da, Miss Wyn. Rwy'n barod am hwnna, rhaid dweud!"

Roedd gryn dipyn yn dalach na hi, a'i ysgwyddau'n llydan. Gyda'i wallt tywyll trwchus yn wlyb ar ôl cawod a'i wyneb llyfn yn frown gan liw haul, rhaid oedd iddi gyfaddef ei fod yn ddyn deniadol dros ben. Rhyfedd na fuasai wedi priodi ymhell cyn cyrraedd safle ymgynghorydd, meddyliodd. Y dyddiau hyn priodai meddygon yn ifainc — yn fyfyrwyr hyd yn oed.

"Mi ddo' i â'r coffi a'r tost i chi mewn munud,"

meddai Luned fel yr eisteddai. "Os bydd arnoch chi angen rhywbeth, wnewch chi ganu'r gloch, os gwelwch chi'n dda?"

Yn y briws, cythrodd hithau damaid o dost a chwpanaid o de yn ei llaw, ac annog Siwan i frysio, cyn dychwelyd at Mr Ffransis.

"Blasus dros ben," meddai ef yn glên. "A'ch pryd hwyr chi, Miss Wyn, faint o'r gloch?"

"Saith. Rydw i'n cymryd byddwch chi'n ôl?" meddai Luned braidd yn fygythiol. Synhwyrodd yr awgrym yn ei llais a daeth gwên i'w lygaid.

"Dim bwyd os bydda i'n ddiweddar? Fe wnaf fy ngorau, Miss Wyn."

Penderfynasai Luned mai gwell fyddai iddi sôn wrtho am Ceri cyn iddo daro arni yn y tŷ.

"Gyda llaw," ceisiodd swnio'n ddi-hid, "hwyrach eich bod chi'n 'nabod Ceri, fy chwaer. Mae hi'n gweithio yn Ysbyty Menai."

"Jiw jiw, odi Ceri Wyn yn chwaer ichi?" synnodd. "Roedd hi yn y Dywysoges 'da fi hefyd. Menyw ddisglair. Mae dyfodol gwych 'da hi," ac i ffwrdd ag ef a'i fag dogfennau dan ei gesail.

Rhuthrodd Geraint at ffenestr y briws i weld yr MG yn cychwyn.

"Daria!" ebychodd. "Dyna hi wedi canu arna i am lifft!"

Lled-ddisgwyliai Luned i Ceri beidio â dod adref y noson honno, ond toc wedi wyth fe gyrhaeddodd, yn amlwg ar bigau'r drain. Yna, gofynnodd ym mhle y cadwai'r ymwelwyr eu ceir.

"Yn y sgubor," atebodd Luned.

Cychwynnodd Ceri am y drws. "Tro bach i'r ardd. Mae hi'n noson mor braf a finnau wedi bod i mewn drwy'r dydd."

Fel y dodai Luned y llestri yn y sinc daeth ei chwaer i'r golwg heibio talcen y tŷ. Diflannodd i'r sgubor am eiliad cyn ailymddangos yn syth. Ychydig funudau'n ddiweddarach dychwelodd i'r briws. Eisteddai pawb arall o flaen y teledu ym mhen pellaf yr ystafell fawr. Pwysodd Ceri ar y bwrdd i wylio Luned yn golchi'r llestri. Ar ôl sgwrsio braidd yn ddigyswllt am dipyn, gofynnodd, "Beth wyt ti'n ei feddwl o Marc?"

Troes Luned i edrych ar ei chwaer. Ymledai haenen o wrid dros welwder arferol ei hwyneb. Pam mewn difrif roedd Ceri ar binnau? Amheuai Luned nad y ffaith fod un o'i chydweithwyr yn lletya yno oedd y rheswm, ond rhywbeth mwy personol: roedd ganddi ddiddordeb pur wresog ym Marc Ffransis. Aethai ar sgawt tua'r sgubor er mwyn cael gwybod a oedd gartref, a chanfod nad oedd.

"Fedra i ddim deud 'mod i wedi gwirioni arno fo," atebodd Luned dan wenu. "Hwyrach y gwellith o wrth i mi ddod i'w 'nabod o."

Chwarddodd Ceri'n sychlyd.

"O, mi wnaiff! Yn bendant mi wnaiff! Gofyn di i unrhyw un o ferched Ysbyty Tywysoges Cymru. Marc oedd y boi mwya poblogaidd drwy'r holl ysgol feddygol."

Aeth Luned ymlaen â'i llestri.

"Dyna egluro'i ffordd dra-arglwyddiaethol o 'ta! Wedi cael ei ddifetha gan yr holl ferched yna'n ei addoli o! Ond ydi genod yn betha gwirion, Ceri? Ydi o'n glyfar yn ogystal ag yn ddel?"

"Anhygoel," atebodd Ceri'n frwdfrydig gan ymhelaethu'n fanwl ar ei heilun. Roedd Marc wedi graddio'n hynod o uchel, yn athro ardderchog, yn llawfeddyg medrus iawn, yn glinigydd di-ail. Ymestynnai rhestr ei rinweddau hyd dragwyddoldeb, a dechreuodd Luned ddiflasu ar y fath folawd eithafol.

Pan gafodd gyfle sylwodd yn dawel fod y creadur yn rhy dda i fyw, yn ôl a glywai. "Rydw i'n meddwl ei fod o'n ddigon annymunol, a balch... ac yn hen ben bach, mwy na thebyg."

Gwadodd Ceri'n angerddol ei fod yn hunandybus. Gorffennodd Luned sychu'r sosbenni a daeth i eistedd wrth ochr ei chwaer. Roedd y lleill wedi ymgolli mewn drama arswyd ar y teledu a boddwyd ei geiriau nesaf gan y twrw, "Rwyt ti.. rwyt ti'n ei ffansïo fo, on'd wyt, Ceri?"

Syllodd Ceri'n syth i lygaid ei chwaer ac amneidiodd. "Wedi gwirioni'n lân," cyfaddefodd yn onest. "Ers blynyddoedd. Dal fy ngwynt bob tro'r oedd o'n edrych ar ferch arall. Ond hyd yn hyn, mae o'n ddyn rhydd."

Gwawriodd ffaith arall ar Luned.

"Mi dderbyniaist ti'r swydd yma yn Ysbyty Menai ar ôl cael ar ddeall ei fod o'n dod yma, on'd do?"

Amneidiodd Ceri eto. "Do. Mi fu ond y dim i mi â'i cholli hi, achos roedd hi'n o hwyr arna i'n clywed am ei benodiad o. Roedd arna i ofn am fy mywyd na chawn i mohoni hi. Dyna i ti hanner blwyddyn hira 'mywyd i — pan oedd o yn y 'Merica."

Er fod Ceri bob amser yn tueddu i orliwio, dychrynwyd Luned gan gryfder ei theimladau a disgleirdeb ei llygaid. Roedd ei chwaer yn amlwg wedi ei swyno'n llwyr gan Marc Ffansis.

"Petawn i'n sylweddoli," meddai Luned yn bryderus, "faswn i ddim wedi gadael iddo fo ddod yma. Mae'n ddrwg gen i, wir rŵan, Ceri."

Gwenodd Ceri. "Paid â phoeni. Unwaith imi ddod dros y sioc mi sylweddolais y gallwn i fod ar fy mantais. Roeddwn i yn fy ngogoniant pan glywais i ei fod o'n dod i fyw i dŷ'r meddygon, ond welais i fawr arno fo, dim ond amser bwyd. Rydan ni'n siŵr o daro ar ein gilydd yn amlach yma.''

"Dydan ni ddim yn gwneud rhyw lawer efo'r ymwelwyr," sylwodd Luned, ond anghytunodd Ceri.

"Hwyrach nad wyt *ti* ddim, ond mae'n wahanol i mi. Rydw i wedi gweithio efo fo; wedi bod allan efo fo unwaith neu ddwy hefyd.''

"Paid â dangos gormod ar dy deimladau. Mae'n gas gan ddynion i rywun redeg ar eu hôl.''

Brifwyd Ceri. "Dydw i ddim yn hollol wirion! Does ganddo fo ddim syniad sut rydw i'n teimlo. Wyddost ti i ble'r aeth o heno?''

"Na wn i. Mae ganddo fo 'oriad i'r tŷ, felly gall ddod i mewn pan fynno fo.''

Fel arfer, gadawai Ceri tua deg pan nad oedd ar ddyletswydd, i achub ar ei chyfle i fynd i'r gwely'n gynnar. Heno, arhosodd ar ei thraed hyd hanner nos ymron, er fod golwg wedi ymlâdd arni. Prin y gallai Luned gadw ei llygaid ar agor, ac o'r diwedd dywedodd fod rhaid iddi fynd i'r gwely. Codai am chwarter i saith.

"O'r gora," ochneidiodd Ceri, a chychwyn yn siomedig ac anhapus.

Aeth Luned i'w danfon at ei char, ac fel yr eisteddai Ceri yn ei mini dywedodd ei chwaer yn dyner wrthi, "Mi gei gyfle eto. Mi fydd yma am bythefnos.''

Agorodd Ceri'r ffenestr.

"Mi wn i. Rwyt ti'n meddwl 'mod i'n rêl ffŵl, mae'n siŵr, yn syrthio mewn cariad efo dyn na ddangosodd erioed unrhyw ddiddordeb ynof i?''

"Ond mi fuost allan efo fo, meddet ti.''

Brathodd Ceri ei gwefus a chwerthin yn chwerw. "Dychymyg rhy effro. Roedd 'na griw ohonon ni. Wyt ti'n meddwl 'mod i'n hurt?''

"Nac ydw siŵr iawn. Does gen ti mo'r help?"

Gwenodd Ceri arni. "Diolch i ti, Luned. Mae cael clust, a thipyn o gydymdeimlad, yn help mawr. Wir rŵan."

Roedd natur a diddordebau'r ddwy'n hollol wahanol, ond chwiorydd oeddynt wedi'r cyfan, a'r teulu'n un clòs. Bu Luned yn effro'n hwy nag arfer, yn meddwl am broblemau Ceri ac yn ofni iddi gael ei brifo. Gallai dyn mor llwyddiannus â Marc Ffransis ddewis unrhyw ferch a fynnai. Pan briodai — os priodai o gwbl — mwy na thebyg nad Ceri a gymerai'n wraig.

A hithau ar fin cysgu, clywodd gar yn cyrraedd y buarth; eiliad neu ddwy'n ddiweddarach caeodd drws yn ddistaw i lawr y grisiau. Daethai'r ymwelwyr eraill i gyd i'r tŷ eisoes, felly rhaid mai Marc a ddychwelai, a hithau'n ddau o'r gloch y bore. "Ar ôl noson o waith tybed?" meddyliodd Luned. "Ynteu noson ar y teils?" Ysgydwodd glustog ei gwely a llithrodd yn araf i afael cwsg.

Roedd Ceri'n rhydd dros y Sul a phenderfynodd ddod adref. Cyrhaeddodd tua deg nos Wener, a cherddodd i'r briws gyda gwên lydan ar ei hwyneb. Amlwg iddi weld car Marc yn y sgubor wrth barcio'r mini, felly gwyddai ei fod yn y tŷ. Roedd Luned wrthi'n paratoi diodydd poeth i'r teulu.

"O, go dda," meddai Ceri gan gymryd bisgeden. "Fydd Marc yn dod i lawr am damaid o fwyd?"

"Bobol annwyl, na fydd," gwenodd Luned. "Fydd o byth yn cymysgu efo'r werin!"

"Chafodd o ddim cynnig," sylwodd Geraint.

"Chaiff o ddim chwaith," meddyliodd Luned. Ni chawsai le i newid ei barn am Marc Ffransis. Roedd wedi cymryd yn ei erbyn ar yr olwg gyntaf, ac er ei fod yn eithaf cwrtais bob amser, doedd ganddi ddim i'w ddweud wrtho.

"Mi a'i i'w nôl o," gwaeddodd Ceri, gan neidio ar ei thraed a chychwyn am y drws.

"Ddaw o ddim," gwrthwynebodd Luned, ond roedd Ceri eisoes ar y grisiau.

Dychwelodd mewn munud neu ddau a Marc wrth ei chynffon mewn siwmper a slacs. Gwenodd Marc ar Luned am y tro cyntaf ac er ei gwaethaf, ysgytiwyd hi gan y wên ddeniadol honno. Gyda'i wallt tywyll trwchus, ei lygaid llwydlas clir, a'r lliw haul ar ei wyneb, ni allai hi wadu harddwch ei gorff. Ei bersonoliaeth rymus a greai drafferth iddi.

"Mi fedrwn i anfon diod i fyny atoch chi, Mr Ffransis," meddai. "Hwyrach y basai'n well gynnoch chi hynny?"

Pwysodd yntau ar y dresel a gwenu arni.

"Ro'n i'n credu'ch bod chi'n hoffi cyfeillachu 'da'r lojers, Miss Wyn."

Cyfeiriai at yr helynt gyda Bob, wrth gwrs. Gwylltiodd Luned wrthi ei hun am wrido.

"Be gymrwch chi, Mr Ffransis?" cyfarthodd, a syllodd y lleill arni'n syn. "Ofaltîn ynta siocled?" ychwanegodd yn gleniach.

"Siocled, os gwelwch yn dda, Miss Wyn."

"On'd ydach chi'n ffurfiol?" sylwodd Ceri, a'i bywiogrwydd newydd yn ei phrydferthu. "Luned ydi enw fy chwaer."

"Rwy'n gwybod." Eisteddodd y llawfeddyg wrth ochr Mr Wyn; ni fuasai llawer o sgwrs rhyngddynt o'r blaen. "Rwy'n gobeithio nad oes wahaniaeth 'da chi i mi ymuno 'da chi?"

Gallai fod yn gwrtais iawn pan fynnai, cyfaddefodd Luned, yn enwedig a'i thad mor ddidoreth. Mwmiodd ef air neu ddau a chrymu a'i drwyn yn ei gwpan. Ciledrychodd Ceri arno'n flin a dechrau siarad siop â Marc.

Pan ymlusgodd eu tad o'r ystafell dan furmur "Nos dawch", gofynnodd Marc yn dawel, "Odi e wedi bod yn wael?"

"Felly basech chi'n meddwl," atebodd Ceri'n ddiamynedd. "Ond dydi o ddim. Dyna'i ffordd o."

Edrychodd Marc yn syn, a theimlodd Luned y dylai egluro.

"Dal i hiraethu am Mam mae o, a mi gollodd ei waith ryw flwyddyn ar ôl iddi farw. Mi fu dwy ergyd o'r fath efo'i gilydd yn ormod iddo fo; ddaeth o byth ato'i hun."

"Does gan Marc ddim diddordeb ym mhroblemau Dad," meddai Ceri'n ddirmygus.

Protestiodd Marc. "Nac oes? Pam lai 'te?" Ar Luned edrychai yn hytrach nag ar Ceri. "Pe bai eich mam ganddo'n gefn, 'falle bydde fe wedi ymdopi'n well â diweithdra. Does dim gobaith am swydd arall 'da fe?"

Ysgydwodd Luned ei phen yn drist. "Fyddech chi'n cynnig gwaith iddo fo ac ynta fel y mae o? Gresyn na chawsoch chi ei 'nabod o ers talwm." Crwydrodd ei llygaid tua'r llun ar y dresel. Ynddo safai eu tad a'u mam gyda'u teulu o'u cwmpas, Luned a Ceri'n ddeg a deuddeg oed, a'r ddau fach o'u blaenau a golwg angylaidd arnynt.

Astudiodd Marc y llun yn feddylgar. "Mae e wedi newid, on'd yw e? A chithau, Luned! Plethi hirion yn eich gwallt a gwifren am eich dannedd!" Edrychodd arni dan wenu.

Synnodd Luned ei glywed yn siarad am ei thad gyda'r fath gydymdeimlad. Hwyrach iddi ei gamfarnu'n rhy sydyn.

"Pethau cyfoglyd ydi lluniau," meddai Ceri. "Yr

holl hiraeth 'na am y gorffennol.''

"Mae'n ddrwg gen i, Mr Ffransis," ymddiheurodd Luned. "Doeddwn i ddim yn bwriadu'ch diflasu chi.''

"Marc," awgrymodd. "A doech chi ddim yn fy niflasu, 'merch annwyl i. Mae Ceri'n camsynied ambell dro.''

Gwridodd Ceri dan ei gerydd, a phrysurodd i gasglu'r llestri i'w golchi. Aeth Geraint a Siwan i'w gwelyau, ond oedodd Marc i sgwrsio â'r merched hŷn. Pan ymadawodd o'r diwedd, anadlodd Ceri'n ddwfn, ac ymestyn yn yr hen gadair freichiau.

"Gobeithio nad ydi o ddim yn mynd i ffwrdd dros y Sul. Soniodd o?''

"Naddo, felly mwy na thebyg mai am aros mae o.'' Âi'r ddau beiriannydd adref i fwrw'r Sul, felly Marc fyddai'r unig westai.

"Mi fedrai ddod i gael bwyd efo ni," awgrymodd Ceri. "Mae'n wirion iddo fwyta ar ei ben ei hun. Mi ofynna i iddo fo fory.''

Ei siomi a gafodd drannoeth, fodd bynnag. Gyrrodd Marc i ffwrdd yn ei gar yn syth ar ôl brecwast, ac ni ddychwelodd hyd yr oriau mân. Fore Sul canfu Luned nodyn ar fwrdd y briws. "Moyn cysgu'n ddiweddar os nad oes wahaniaeth 'da chi. Dim angen brecwast, Marc.''

Roedd Luned wedi mynd i gysgu cyn iddo gyrraedd adref y noson cynt, a dyfalodd tybed i ble'r aethai. Allan gyda merch? Druan o Ceri os cariad a'i cadwodd allan mor hwyr. Carlamai'r penwythnos heibio heb iddi weld dim arno bron.

Paratoi crwst ar gyfer tarten afalau yr oedd Luned pan ymddangosodd Marc o'r diwedd.

"Bore da. Mae'n flin 'da fi godi mor ddiweddar.''

"Popeth yn iawn. Gymrwch chi baned o goffi?"

"Hyfryd, diolch." Eisteddodd wrth fwrdd y briws ac edrychodd Luned yn amheus arno. Gwaith newydd iddi oedd cadw lojers, ond daethai i sylweddoli'r noson cynt mai camgymeriad oedd trin pobl a dalai am eu lle fel aelodau'r teulu. Yn enwedig Marc, a fyddai'n aros yng ngwesty gorau'r ardal oni bai i ysgrifennydd yr ysbyty fwnglera.

"Rwy'n niwsans," meddai, "peidiwch â thrafferthu 'da'r coffi."

"Dim trafferth. Ond fyddai ddim well gynnoch chi ei gael o yn y gegin ffrynt?"

"'Merch annwyl i, beth sydd o'i le ar fan hyn? Os nad ydw i ar y ffordd?"

Tywalltodd Luned lwyaid o goffi a dŵr berwedig i gwpan, a'i roi iddo. "Teimlo'n bod ni'n cymryd mantais arnoch chi rydw i, am fod Ceri'n eich 'nabod chi. Hynny ydi," ychwanegodd a'i phen yn yr oergell wrth iddi chwilio am lefrith, "trefniant busnes sy rhyngom ni wedi'r cwbl. Neu dyna ddylai fod." A'i hwyneb yn goch, arllwysodd yr hufen i jẁg fechan a'i dodi ar y bwrdd.

Syllodd Marc arni wrth roi siwgwr yn ei goffi, ac oedodd cyn ateb, "Rwy'n deall nad yw'n sefyllfa hawdd i chi. Menter newydd a chithau mas o'ch dyfnder 'falle. Na, gadewch i fi 'bennu." Cododd ei law pan geisiodd hi ymyrryd. "Ond rwy'n un o gydweithwyr eich chwaer, ac mae hynny'n wahanol. Wel, on'd yw e?" Gwenodd y wên a'i gweddnewidiai.

Sgeintiodd Luned flawd hyd ei dwylo a dychwelyd at ei chrwst. "Ydi, am wn i," atebodd gan ochneidio'n ysgafn. "Fyddwch chi'n mynd allan eto heddiw?"

Pan atebodd na fyddai holodd ef ynglŷn â chinio. Amneidiodd Marc.

"Odw, rwy'n moyn cinio," meddai, "ond dw i ddim yn moyn ei fwyta fe yn unigedd ysblennydd y stafell fwyta! Felly, a gaf fi fod yn un o'r teulu, Miss Wyn?"

Disgleiriai ei lygaid gymaint nes mwydro Luned, a phlygodd dros y bwrdd i roi ei holl sylw i'r darten. "Fel mynnoch chi," murmurodd, a bwriwyd hi fwyfwy oddi ar ei hechel gan ei eiriau nesaf. "Dy'ch chi ddim yn fy hoffi i, y'ch chi? Caren i wybod pam."

Dyfnhaodd y gwrid ar fochau Luned. "Prin rydw i'n eich nabod chi," meddai'n llafurus. Ciledrychodd arno, a chythruddwyd hi gan y difyrrwch braf yn ei lygaid. Roedd yn rhy soffistigedig o lawer ganddi; gwnâi iddi deimlo'n chwithig ac ansicr.

"Dyw hynny ddim yn ateb o gwbl," ychwanegodd Marc wrth iddo orffen ei goffi a symud at ei hochr. "Rwy'n edrych 'mla'n at flasu'r darten 'fale 'na! Ry'ch chi'n gogyddes dda, Luned fach. 'Falle na fydda i'n symud i westy wedi'r cyfan."

PENNOD 3

Drwy amser cinio, bu pawb yn ymddwyn yn hynod o foesgar oherwydd fod Marc yn eu plith. Bwytaent yn y gegin ffrynt, a theimlai Luned bron fel pe baent wedi camu'n ôl i'r hen ddyddiau.

Derbyniodd Marc ail damaid o'r darten afalau.

"Bendigedig o flasus," gwenodd. "Rwy wedi bwyta cymaint, fydda i ddim yn moyn mynd mas y prynhawn 'ma."

"Oes raid i chi?" gofynnodd Ceri. "Pam na 'steddwch chi yn yr ardd i ddarllen y papur? Mae hi'n ddiwrnod perffaith i ddiogi?"

"Ydi, ydi," cytunodd Marc. "Ond rhaid i fi fynd draw i'r tŷ newydd. Fe addawes i i 'narpar wraig y bydden ni'n mesur y ffenestri, iddi gael dechrau meddwl am lenni."

Yn y distawrwydd a ddilynodd y geiriau hyn, ni feiddiai Luned edrych ar Ceri. Ceisiai chwilio'n ofer am rywbeth i'w ddweud pan neidiodd Geraint i'r adwy.

"Wyddwn i ddim fod gynnoch chi dŷ. Ble mae o? Pa bryd byddwch chi'n mynd yno i fyw?"

"Bydd misoedd cyn 'ny os na fydd yr adeiladwyr yn ei siapio hi," atebodd Marc. "Hoffet ti ddod gyda fi pnawn 'ma i weld? Mae e'n hen dŷ hyfryd. Gallet ti helpu 'da'r mesur."

Roedd Geraint wrth ei fodd.

"Gwych. Rydw i wedi bod bron â thorri 'mol eisio reid yn yr MG."

Ni chododd Ceri ei phen: syllai ar y bwrdd a'i hwyneb yn llawn tyndra. Yfodd ei choffi'n frysiog ac ymesgusodi.

Wedi'r pryd golchodd Luned y llestri tra sychai Siwan. Dim ond rhyw led-wrando a wnâi ar glebran ei chwaer hyd nes clywodd sylw a fu bron â pheri iddi ollwng cwpan.

"On'd ydi Marc yn anfarwol? Dim rhyfedd fod Ceri'n ei ffansïo fo."

"Paid â rwdlian!" meddai Luned, yn llym. "Darllen gormod o ryw hen ramantau gwirion, dyna dy ddrwg di!"

"Mae Ceri'n wirion bost amdano fo," mynnodd Siwan. "Welaist ti mo'i hwyneb hi amser cinio?"

"O, dos yn dy flaen, Siwan!" ebychodd Luned yn flin.

Gwenodd ei chwaer fach a chychwyn tua'r drws.

"Rydw i'n mynd i weld Steffan. Mae'n siŵr na fydda i ddim adre i de."

"Siwan!" Ymddangosodd ei hwyneb prydferth heibio ymyl y drws. "Beiddia di ddeud dim byd fel 'na wrth neb arall! Beiddia di!"

"O.K., O.K." Caeodd y drws gyda chlep. Tra oedd yn gorffen tacluso, meddyliai Luned tybed a ddylai fynd i chwilio am Ceri. Yn y diwedd, penderfynodd beidio ac aeth i weithio yn yr ardd. Am bedwar o'r gloch daeth Ceri i'r fei, yn hollol hunanfeddiannol er gwaethaf ei hwyneb gwelw a'i llygaid cochion.

"Rydw i'n meddwl yr af i i edrych am Heledd Evans," cyhoeddodd. "Heb ei gweld hi ers oesoedd."

"Pam lai?" meddai Luned. "Fyddi di adra i swper?"

"'Falla, a 'falla ddim." Roedd tôn goeglyd i'w llais, ac amheuai Luned ei bod fel tant ar dorri o dan y tawelwch brau.

Wedi i'w chwaer ymadael, gorffennodd blannu'r rhes ffa a'i chau, ac aeth i'r tŷ i baratoi te iddi hi ei hun a'i thad. Cafodd Geraint yntau de pan ddychwelodd.

"Does ar Marc ddim eisio bwyd?" gofynnodd Luned.

Ysgydwodd Geraint ei ben.

"Mae o wedi mynd yn syth i'r ysbyty i weld y bobl sy'n cael triniaeth fory. Wyddost ti be', Luned, fasai dim ots gen innau fynd yn llawfeddyg."

"Roeddwn i'n meddwl mai peiriannydd oeddet ti am fod."

"Ia, am wn i. Ond hwyrach fod pobol yn fwy diddorol na phethau. Roedd Marc yn bwriadu astudio gwyddoniaeth pan oedd o'r un oed â fi medda fo. Wyddost ti y bu ei dad o'n Athro Ffiseg ym Mhrifysgol Llundain, ers talwm, Luned?"

"Na wyddwn i. Ond dydw i'n synnu dim."

Gwenodd Luned wrth weld yr olwg ddifrifol ar ei wyneb ifanc. Oed yr eilunaddoli oedd pedair ar ddeg, a gwell oedd iddo ddod dan ddylanwad Marc na moli'r sêr pop fel y gwnâi Siwan.

Stwffiodd Geraint damaid o deisen i'w geg a mwmian yn aneglur, "Mae o'n goblyn o gyfoethog, mae'n rhaid, Lun. Petai ti'n gweld ei dŷ o! Mae o'n wych!"

"Mwy na'n tŷ ni?"

"Mwy? Nac ydi, ond mae o'n grandiach. Mae yna bwll nofio a chwrt tennis a stablau."

"Mae o'n siŵr o fod yn gyfoethog felly," cytunodd Luned. "Neu hwyrach mai gan y ddarpar wraig mae'r pres."

"Mae o'n foi clên ofnadwy, Lun. Rydw i am gael hen set radio ganddo fo, i'w thynnu'n ddarnau. Gobeithio'r arhosith o yma nes bydd y tŷ'n barod. Mi ddeudodd y basai'n leicio aros."

"Wn i ddim fydd ei lofftydd o'n dal ar gael," meddai Luned yn swta. Gorau po gyntaf yr ymadawai Marc, rhag brifo Ceri. Pe bai'n aros gallai ei chwaer orfod cyfarfod â'i wraig.

Drannoeth, daeth tri theulu i holi am ystafelloedd. Gwyddai Luned na châi unrhyw drafferth i osod dwy lofft ddwbl Marc, a phenderfynodd ofyn iddo pa bryd y bwriadai ymadael. Ar ôl swper aeth i guro ar ei ddrws. Eisteddai yn y gadair freichiau ger y ffenestr, yn darllen cylchgrawn meddygol.

"Helô, Luned. Beth y'ch chi'n moyn?"

Caeodd Luned y drws ar ei hôl.

"Gan fod y tymor gwyliau wedi dechrau o ddifri erbyn hyn, tybed allech chi adael i mi wybod pryd byddwch chi'n gadael?" Edrychodd ef arni'n ddiddeall, ac ychwanegodd hithau. "Roeddech chi am fynd i westy ar ôl y regata."

Gollyngodd y cylchgrawn ar lawr a symud at ei hochr. Syllodd hithau i fyny arno; roedd fel Twr Marcwis o dal!

"Wel, fyddwch chi'n symud ddiwedd yr wythnos?" gofynnodd.

"Y'ch chi wedi addo'r stafelloedd hyn i rywun arall?"

"Nac ydw, ond..."

"Yna fe hoffwn i aros, os gwelwch yn dda. Os gallwch chi roi lan 'da fi.' Gwenodd yn ddiniwed.

"Mi ddeudsoch y byddai'n well gynnoch chi westy."

"Do fe wir? Pryd, 'te?"

"Y diwrnod y daethoch chi. A deud y gwir roeddech chi'n bur ddeifiol." Teimlai Luned awydd cryf i rwygo'i hunanhyder cyfoglyd er na wyddai pam.

Edrychodd arni'n syn, yna chwarddodd. "Oeddwn i cynddrwg â 'ny, Luned fach? Roedd tymer y cythrel arna i, on'd oedd e? Roedd 'da fi restr anferth o lawdriniaethau'n y bore, a wedyn 'wedodd

40

y ffŵl ag e, Bowen, nad oedd 'da fe ddim byd gwell i fi na thŷ ym mherfeddion y wlad.''

"O, diolch!" meddai Luned yn wawdlyd. "Doedd dim raid i chi fynegi'ch barn mor ddi-flewyn-ar-dafod, amdana i na'r tŷ.''

Chwarddodd ef eto. "Gresyn na allech chi'ch gweld eich hunan y prynhawn hwnnw. 'Da'ch gwallt yn un cynffon, pridd ar eich wyneb, a jîns brwnt! Doeddech chi ddim yn edrych fel gwraig tŷ.''

"Mi wn i fod golwg ofnadwy arna i,'' sylwodd Luned yn flin.

Tynnodd ef ei wallt fel pe bai'n frawd mawr iddi.

"Golwg ofnadw'? Nage, golwg annwyl! Ond hollol ddi-drefn — dim fel gwraig fusnes.''

"Waeth i chi heb â gwenieithio.''

Rhoddodd yntau glamp o ochenaid. "Pe bawn i'n ymgreinio o'ch blaen chi mewn sachliain a lludw ac erfyn arnoch chi 'nghadw i, allwn i aros?''

"Dydi ymgreinio ddim yn gweddu i chi,'' cyfarthodd Luned, yn flin oherwydd iddi gael ei dal. Dylasai fod wedi dweud wrtho ei bod eisoes wedi gosod y llofftydd. Gwelodd ei wyneb yn newid a'i lygaid yn culhau.

"Pam y'ch chi'n gas? Beth 'wedes i?''

Oherwydd na allai ddatgelu'r gwir iddo, ymddiheurodd Luned. Nid oedd wedi bwriadu gwylltio, meddai; ei sylwadau ef y dydd cyntaf hwnnw oedd wedi ei brifo, braidd. Ymddiheurodd yntau hefyd, a chlywodd Luned ei hunan yn dweud y câi aros â chroeso. Byddai'r teulu wrth eu bodd. Pawb ond hi ei hun, meddyliodd. Ac am Ceri, druan ohoni!

Gan fod Marc bellach am aros, dadbaciodd weddill ei bethau — llyfrau, taclau chwaraeon, lluniau.

41

Un bore, ac yntau'n hwyr yn cychwyn am yr ysbyty, cyrhaeddodd Luned i lanhau.

"Mae'n ddrwg gen i, Marc, roeddwn i'n meddwl eich bod chi wedi mynd."

"Ffoniodd y llawfeddyg tŷ i 'weud fod y triniaethau wedi eu gohirio. Rhyw streic neu rywbeth." Swniai'n flin.

"Mi ddo i'n ôl yn o fuan."

"Dim angen. Af i i'r llofft."

Cyffyrddodd Luned ag un o'r lluniau ar ei ddesg.

"Eich rhieni?"

"Ie. Mae 'nhad wedi marw, a Mam, fel eich tad, heb ddod dros ei golli."

"Dim llun o'ch darpar wraig?" gofynnodd Luned yn ysgafn a gwenodd yntau.

"Mae'n gas 'da Aneira deimladrwydd, ond y'ch chi'n iawn, dylsai fod gyda fi un."

"Meddyg ydi hi?" Gobeithiai na fyddai'n gwarafun iddi holi.

"Ie. Anaesthetydd yw hi — cofrestrydd mewn ysbyty yn Llundain ar hyn o bryd. Fe gawson ni'n hyfforddi 'da'n gilydd yn y Dywysoges."

Felly rhaid bod Ceri'n ei hadnabod, o ran ei gweld, beth bynnag.

"Fydd hi'n chwilio am waith y ffordd yma rŵan, neu fydd hi'n rhoi'r gorau iddi ar ôl priodi?"

"Rhoi'r gorau iddi? Jiw, jiw, na fydd!" Synnodd o glywed y fath beth. "Mae Aneira wedi ymgysegru i'w gwaith. Mae hi ar fin sefyll arholiadau terfynol ei chymrodoriaeth."

Gwyddai Luned, o wrando ar Ceri a'i ffrindiau, fod angen bod yn gryn ysgolor i lwyddo yn yr arholiadau hynny. Gwenodd yntau ei gadarnhad pan grybwyllodd y ffaith.

"O, ydi, mae Aneira'n ferch alluog iawn, yn

disgleirio mewn arholiadau." Swniai'n hynod falch ohoni. "Os oes diddordeb 'da chi, gwelwch chi Aneira fory. Mae'n dod lan."

"Os bydd arnoch chi eisio pryd da o fwyd, Yr Afr Aur ydi'r lle gorau drwy'r ardal," cynigiodd Luned yn garedig.

Diolchodd Marc, ac ar yr un pryd aeth Luned am y drws.

Tua deg o'r gloch y noson honno daeth cnoc ar ddrws y briws. Dyna lle'r oedd Marc, gyda merch ifanc y tu ôl iddo. Merch ifanc dal, fain, a safai'n syth. Edrychai flwyddyn neu ddwy'n iau na Marc, yn tynnu am ei deg ar hugain, efallai. Gosgeiddig oedd hi, yn hytrach na phrydferth, gyda wyneb clasurol ac awgrym cryf o gyfoeth a magwraeth dda o'i chylch. Yr union fath o ferch y byddai Marc yn ei dewis, meddyliodd Luned; mor hyderus, llwydd-iannus a deallus ag ef ei hun. Golygus hefyd yn ei ffordd, gyda'i chroen llyfn, a'i gwallt golau cwta'n pwysleisio ffurf luniaidd ei phen.

"Ydyn ni'n tarfu arnoch chi?" gofynnodd Marc.

"Nac ydach, siŵr iawn." Diffoddodd Luned y teledu a chyflwynwyd pawb i'w gilydd.

Gwenai Aneira yn raslon, ond braidd yn nawddogol. Nid eisteddodd hi na Marc, ac ymadawsant ar ôl sgwrsio am ychydig funudau.

Dechreuodd Siwan glebran ei brwdfrydedd.

"Fel 'na bydda i'n edrych ryw ddydd! Welsoch chi'r ffrog yna? A'i 'sgidia hi? Anfarwol! Costio ffortiwn, reit siŵr."

"Dydi hi ddim cyn ddeled â Luned," meddai Geraint yn driw. Cyffyrddwyd Luned gan ei deyrngarwch a gwenodd arno. Gwyddai ei bod yn eithaf tlws, er nad oedd yn drawiadol o brydferth fel

43

Siwan. Roedd ganddi wallt brown llaes a sglein arno a llygaid gwyrdd clir, cyfuniad digon dymunol. Ac roedd croen ei hwyneb cyn llyfned â chroen Aneira bob dydd. "Ond pam ei chymharu ei hun â honno?" meddyliodd.

Dirmygodd Siwan eiriau Geraint. "Mi wn i fod Luned yn ddelach na hi, ond mae gan Aneira steil. Mae hynny'n bwysicach."

Toc ar ôl mynd i'w gwely, clywodd Luned gar Marc yn cychwyn i ddanfon Aneira i'w llety. Ni ddaeth adref hyd oriau mân y bore.

Brynhawn drannoeth, a Luned yn dod â'r dillad oddi ar y lein, cyrhaeddodd car rasio bach twt i'r buarth a chamodd Aneira allan ohono. Gwisgai drowsus llwyd a siaced swêd las, hardd, a weddai'n berffaith i'w llygaid. Cerddodd Luned tuag ati a llwyth o ddillad yn ei breichiau.

"Mae arna i ofn nad ydi Marc ddim adra."

"Nac yw, rwy'n gwybod, Miss Wyn. Holodd e fi i gasglu rhywbeth."

Yng nghyntedd y tŷ safodd Aneira gyda'i llaw ddestlus ar ganllaw'r grisiau.

"Fe wn i'r ffordd, diolch, Miss Wyn. Mae 'da chi lawer o waith, rwy'n siŵr." Taflodd y llygaid glas gipolwg ar y golchiad.

Tywysoges a thaeog, meddyliodd Luned a phwl o ddicter yn dod drosti. Troes tua'r briws dan geisio dyfalu beth yn union a barai i Aneira Morgan wylltio cymaint arni. Eiddigedd, efallai. Bendithiwyd y ddynes â chyfoeth, soffistigeiddrwydd, statws merch broffesiynol. Sut bobl oedd ei theulu, tybed? Rhaid fod Marc yn ei hadnabod ers blynyddoedd, gan iddynt gael eu hyfforddi yn yr un ysbyty. Gresyn na fuasai Aneira wedi aros yn y Dywysoges yn lle symud i Lundain. Oni bai iddi adael, hwyrach y buasai pawb yn gwybod am ei pherthynas hi a Marc. Buasai Ceri hithau wedi sylweddoli'n gynt nad oedd waeth iddi hi roi'r ffidil yn y to ddim.

Pan ddaeth Aneira i lawr y grisiau cynigiodd Luned gwpanaid o de iddi. Edrychodd Aneira ar ei wats a syllodd Luned yn edmygus ar ei modrwy ddyweddïo saffir.

"Diolch yn fawr, Miss Wyn. Fe fyddwn i'n gwerthfawrogi cwpanaid."

Dangosodd Luned y gegin ffrynt iddi, a dychwelyd ati toc gyda'r hambwrdd.

"Mae'r gacen 'ma'n flasus," meddai Aneira'n hynaws. "Mae Marc yn dweud eich bod yn gogyddes ardderchog. Mae'n ymddangos ei fod e'n gysurus iawn 'ma, ond rwy'n synnu na fyddai wedi symud i westy, 'r un peth."

"A finnau. Dyna fwriadai o wneud i ddechrau."

Cododd Aneira'i hysgwyddau.

"Chi'n gwybod fel mae dynion. Gormod o drafferth 'da nhw i symud. Gallai gael stafell yn Yr Afr Aur 'nawr, a'r regata drosodd, ond mae'n well 'da fe fan hyn." Wrth iddi edrych o'i chwmpas ar yr ystafell ddymunol, ond gartrefol hon, awgrymai'r olwg yn ei llygaid fod dewis Marc y tu hwnt i'w hamgyffred. Gobeithiai Luned na fyddai raid iddi gwmnïa rhyw lawer â hi.

"Sut mae'r tŷ newydd yn dod yn ei flaen?" gofynnodd. "Mi fu Marc yn sôn cryn dipyn amdano fo."

Cododd yr aeliau siapus mewn syndod. Y mawredd, meddyliodd Luned, mae hi o'r farn na ddylai'r un o'r werin datws mo'i alw fo wrth ei enw bedydd!

"Yn araf, rwy'n ofni," meddai Aneira. Gorffennodd ei the a chodi. "Diolch, Miss Wyn.

45

Rhaid i fi beidio â'ch cadw chi oddi wrth eich gwaith.''

Drannoeth, wrth dynnu llwch yn ystafelloedd Marc, gwelodd Luned lun o Aneira ar y bwrdd ger ei wely. Safai'n falch wrth ochr ei cheffyl, gan edrych yn odidog yn ei dillad marchogaeth.

"Mae hi'n farchogwraig ardderchog," meddai Marc. "Byddai hi'n cystadlu cryn lawer cyn iddi ddechrau gweithio. Dal i wneud pan fydd amser 'da hi."

Nid oedd ryfedd ei fod yn swnio mor falch ohoni; yn amlwg, roedd ei ddarpar wraig yn ferch dalentog dros ben. Ond ni allai Luned yn ei byw ei hoffi. Diolchai na fyddai'r Meddygon Ffransis yn troi ymysg yr un bobl â theulu'r Wyniaid ar ôl iddynt briodi.

Ni ddaeth Ceri adref am wythnos gyfan. Yna ffoniodd i ddweud y carai ddod â ffrind iddi, anaesthetydd o'r enw Huw Williams, adref i swper. Hoffodd Luned Huw yn syth, bachgen siriol a chyfeillgar, yn amlwg yn dotio at Ceri. Hwyrach y gallai ef roi'r hwb angenrheidiol iddi i adennill ei hunanhyder. Er iddi geisio rhoi'r argraff fod ei theimladau briw bellach yn holliach, gofalodd Ceri osgoi cwmni Luned ar ei phen ei hun.

Huw a ddechreuodd sôn am Marc Ffransis.

"Yma mae o'n aros, yn ôl Ceri. Dydi o ddim yn codi ofn arnoch chi, dwedwch?"

Edrychodd Luned ar ei chwaer: roedd wyneb Ceri'n hollol ddifynegiant.

"Hwyrach ei fod o braidd yn... wel, yn feistrolgar, am wn i," cytunodd. "Ond mae o'n ddigon clên pan ddowch chi i'w 'nabod o."

Amneidiodd Huw. "Mae o'n hen foi iawn. Mi fydda i'n rhoi anaesthetig efo fo ddwywaith yr wythnos. Ar ôl yr hen law oedd acw cynt, roedd gweithio i hwn yn dipyn o sioc i ddechrau! Ond dydi o'n dychryn dim arna i rŵan — mwynhau'r sialens a dweud y gwir. Roeddet ti'n ei 'nabod o yn y Dywysoges, on'd oeddet, Ceri?"

"Oeddwn," meddai Ceri, a'i llais mor ddifynegiant â'i hwyneb.

"Mi ddaeth ei gariad o yma'r noson o'r blaen," cynigiodd Siwan. "Wow!" ychwanegodd dan droi ei llygaid.

"Sut un ydi hi?" holodd Huw'n frysiog. "Peth ddel?"

Oedodd Siwan i ddethol ei hansoddeiriau ac achubodd Luned y blaen arni.

"Del? Ddim mewn gwirionedd. Golygus, hwyrach. Dipyn yn ffroenuchel. Un o'r crachach, heb ddim amheuaeth."

Cododd Ceri'n sydyn a mynd at y sinc. Gwnaeth sioe fawr o ddidoli'r llestri budron, ac ymunodd Huw â hi, gan daro cusan ar ei boch wrth glymu barclod am ei chanol.

Hen hogyn iawn, meddyliodd Luned. Gresyn na fuasai ei chwaer yn dangos mwy o ddiddordeb ynddo. Ond daethai ton o ddiflastod dros wyneb Ceri pan gusanodd hi. Gobeithiai Luned nad ei ddefnyddio'n unig a wnâi, er mwyn ceisio dangos na hidiai'r un ffeuen am Marc. Tra gwyliai'r lleill y teledu, sibrydodd wrth Ceri.

"Mae o'n annwyl, Ceri. Rydw i'n falch i ti ei wahodd o!"

"Mae o'n iawn." Cododd Ceri ei hysgwyddau. "Ond mae o'n rhy ddidaro. Wnaiff o byth gyrraedd safon ymgynghorydd heb ymdrechu dipyn mwy!"

"Ydi hynny'n bwysig?"

"Wel ydi! Siŵr iawn!" Edmygai Ceri lwyddiant. Doedd Huw yn neb ar hyn o bryd. Plygodd yn nes at Luned, "Ydi Marc yn y tŷ?"

"Nac ydi. Allan ers amser te."

Amneidiodd Ceri a gadael yr ystafell. Ymhen rhai munudau, dychwelodd a golwg anhapus arni, ac oedodd am eiliad i siarad â'i chwaer pan gychwynnodd Huw am y car i fynd adref.

"Mi welais i'r llun; rydw i'n ei 'nabod hi o ran ei gweld. Merch yr Arglwydd Morgan!" Roedd chwerwder lond ei llais.

"Yr Arglwydd... ydi ei thad hi'n Arglwydd?" Dyna egluro'r traha!

"Arglwydd meddygol," eglurodd Ceri'n flinedig. "Syr Richard Morgan. Un o rywle yng Ngheredigion yn wreiddiol, rydw i'n meddwl."

"O Ceri, mae'n ddrwg gen i, wir rŵan. Ond mae'n rhaid i ti dderbyn na fedri di byth ennill calon Marc!"

"Pa bryd maen nhw'n priodi? Ddeudodd o?"

"Naddo," meddai Luned yn araf. "Dydw i ddim yn meddwl eu bod nhw wedi penderfynu eto. Aneira eisio cael ei chymrodoriaeth cyn gadael Llundain neu rywbeth."

Llonnodd wyneb Ceri.

"Phriodan nhw ddim am sbel felly. Hwyrach mai gwahanu wnân nhw'n ara deg."

Ysgafnhaodd ei llais â gobaith newydd a chiledrychodd yn gynhyrfus ar Luned.

"On'd ydi hi'n ffŵl? Mi ddylai roi terfyn arno fo'r munud yma, tra medr hi! Dod rŵan, Huw!" gwaeddodd, a rhuthro allan.

Doedd hi ddim yn bwriadu callio, felly. Creaduriaid gwallgof oedd merched mewn cariad, hyd yn oed merched disglair fel Ceri.

PENNOD 4

"Mae 'da chi biano braf i'w gael yn y stafell eistedd lawr staer," meddai Marc un min nos. "Fyddai wahaniaeth 'da chi pe bawn i'n canu peth arno fe?"

Safai uwchben Luned wrth iddi drawsblannu'r bresych yn yr ardd lysiau. Gwenodd hithau i fyny i'w wyneb.

"Dim o gwbl. Mae angen defnyddio'r piano. Mam oedd biau hi. Roedd hi'n giamstar arni." A hithau Luned wedi etifeddu'r ddawn, er na chrybwyllodd hynny. Pur anaml y soniai am gerddoriaeth bellach.

"Dydw i ddim yn gerddor da, cofiwch," meddai Marc dan wenu, "ond mae'n help i ddyn ymlacio."

"Gorau po amlaf yr ewch chi at y piano, felly," sylwodd Luned. "Dyw'ch gwaith chi ddim yn rhoi cyfle o gwbl i chi ymlacio." Gwyddai o siarad â Ceri fod pwysau aruthrol ar ysgwyddau llawfeddyg. Roedd gan Marc fwy o esgus na'r rhelyw o ddynion dros fod yn swta a diamynedd. Fel arfer, darllenodd ef ei meddyliau hi.

"Ydw i cynddrwg â 'ny?" gofynnodd yn wylaidd. "Dy'ch chi ddim yn ymlacio rhyw lawer eich hunan, Luned fach. Ydych chi byth yn rhoi'r gorau i weithio?"

"Mae hi'n noson braf, a finnau'n mwynhau garddio."

"Ydych, mae'n amlwg." Gwenodd a phlygu i dynnu deilen o'i gwallt. "Ry'ch chi'n ferch brydferth dros ben, Luned Wyn, a'r ardd yw'ch cefndir naturiol chi!"

Llamodd calon Luned yn annisgwyl.

"Fel petawn i wedi fy ngeni efo fforch yn fy llaw?"

49

Cellweiriodd oherwydd i'w eiriau beri'r fath syndod iddi. Daliai ei agosrwydd ar ei gwynt. ''Yn dew ac yn wladaidd, ia?''

Cododd ar ei thraed. Crwydrodd llygaid Marc dros ei chorff main, deniadol, yn ei chrys a'i jîns, fel arfer.

''Dim o'r fath beth,'' meddai'n chwyrn. ''Dylech chi ddysgu derbyn canmoliaeth yn raslon. Peidio â bod mor ddihyder.''

''Dihyder?'' Beth oedd meddwl y dyn?

Penliniodd eto a gollwng bresychen i'r pridd. Pam gebyst na symudai'r creadur? O'i weld yn dal ei dir, ailadroddodd y gair. ''Dihyder? Dyna sut y gwelwch chi fi? Fedrai neb eich cyhuddo *chi* o ddiffyg hyder, beth bynnag!''

Chwarddodd Marc o'i gweld wedi llwyr gythruddo. ''Mae'n flin iawn 'da fi, 'merch annwyl i. Doeddwn i ddim yn bwriadu peri dolur i chi. Ry'ch chi ar binnau heno. Beth sy'n bod?''

Go brin y gallai gyhoeddi mai ei bresenoldeb ef oedd y drwg, felly caeodd ei cheg.

Syllodd Marc i lawr arni, cyn dweud, '''Falle'ch bod chi'n flinedig. Neu angen tamed bach o hwyl. Pryd aethoch chi mas ddiwetha?''

''Dim ers tro byd,'' cyfaddefodd Luned. ''Ond rydw i'n mynd i'r parti yn yr ysbyty nos Wener.''

Ceri a'i gwahoddodd i barti'r meddygon iau ac edrychai ymlaen yn eiddgar.

''Ardderchog,'' meddai Marc. ''Rwy innau wedi cael gwahoddiad hefyd, ond dw i ddim yn gwybod a fydda i'n mynd.''

''Dim digon crand i chi, Mr Ffransis?''

Trawodd ei fraich am ei hysgwydd a'i hysgwyd yn ysgafn.

''Dylech chi wylio'r tafod miniog yna, lodes! Rwy'n digwydd bod ar ddyletswydd nos Wener,'' meddai, a cherdded oddi wrthi.

Yn feddylgar, gwyliodd Luned ef yn diflannu drwy'r porth yn y wal gerrig. Roedd wedi dechrau cynefino ag ef bellach, daethai ag ychydig o liw i'w bywyd diflas. Amhosibl oedd anwybyddu cymeriad o'r fath. Fe'i collai pan âi, er mawr syndod iddi. Mewn gwirionedd, ni ddisgwyliai iddo ymadael am beth amser, gan fod yr adeiladwyr yn gweithio cyn arafed â malwod, yn ôl Marc. Gresyn na roesai Aneira y gorau i'w swydd yn Llundain, meddyliodd Ceri. Pam na allai baratoi ar gyfer ei harholiadau yma? Oni ddylai roi blaenoriaeth i'w cartref newydd a hapusrwydd Marc yn gyntaf, a'i gyrfa'n ail? Mwy na thebyg mai colli ei gariadferch a oedd yn cyfrif am hwyliau oriog Marc y dyddiau hyn. Oherwydd fod gan y ddau ohonynt swyddi pwysig, dim ond o dro i dro y gallent gyfarfod. Cofiodd Luned eiriau Ceri — fod siawns iddynt wahanu. Dymuniad ofer? meddyliodd. Ynteu posibilrwydd pendant? Pwy a wyddai?

Ar gyfer y parti, aeth Luned i gryn drafferth gyda'i choluro. Er mai hen wisg a oedd amdani, gwnâi'r ffriliau a'r defnydd meddal glas golau iddi deimlo'n fenywaidd, a lleisiodd amryw o'r meddygon ieuainc eu hedmygedd ohoni.

Roedd yn hoff dros ben o ddawnsio, a chan nad âi allan yn aml, mwynhâi ei hun ddwywaith cymaint pan fentrai. Bloeddiai'r chwaraewr recordiau yn lolfa'r meddygon preswyl y dawnsfeydd diweddaraf, a chwyrlïai Luned yn frwdfrydig gyda gwên lydan ar ei hwyneb. Tawelodd y miwsig, ac ymollyngodd hithau ar y soffa gyda'i phartner dan chwerthin ac yn fyr ei gwynt.

"Perfformiad â graen arno," meddai llais dwfn o'r

tu ôl iddi, a throdd hithau'n frysiog i edrych i fyny i wyneb Marc. Cyrchodd un o'r llawfeddygon tŷ ddiod iddo, gan ddiolch yn galonnog iddo am ddod. Ymgasglodd criw o'i gylch yn syth a synnodd Luned braidd wrth sylweddoli pa mor boblogaidd ydoedd.

Pan symudodd draw, crybwyllodd ei boblogrwydd wrth ei phartner, meddyg tŷ a weithiai yn yr un uned â Ceri. Amneidiodd y dyn ifanc.

"Boi da, Ffransis. Mi hoffwn i weithio efo fo ar ôl gorffen yn y swydd yma."

"Dydi o ddim yn feistr caled?"

"Digon gwir," cytunodd y meddyg. "Dyna ydi'r sialens. A mae o'n hollol ddi-flewyn-ar-dafod. Os gwnaiff rhywun lanast, mi ddywed y drefn yn ei wyneb o, nid rhedeg at rywun y tu ôl i'w gefn."

"Mi fedra i ei ddychmygu o'n deud y drefn," cytunodd Luned dan wenu.

"O, mi all o fod yn hynod o glên hefyd," meddai'r gŵr ifanc. "Mae ffrind i mi, sy'n gweithio iddo fo ar hyn o bryd, yn dweud ei fod o'n wych efo hen bobol. A mae plant yn ei addoli o."

Meddyliodd Luned am Geraint ei brawd, na roddai ei deyrngarwch ar chwarae bach, a chytunodd â'r meddyg ifanc. Tua deg o'r gloch gadawodd Marc.

"Wedi 'laru ar barti meddygon preswyl," awgrymodd i'w phartner.

Ysgydwodd y meddyg tŷ ei ben. "Nid un felly ydi Ffransis. Mae ganddo fo lawdriniaeth i'w gwneud yn y theatr," ac edifarhaodd Luned am iddi ei gamfarnu mor anystyriol.

Erbyn hanner nos, cawsai ddigon ar y parti, ond ni allai gael hyd i Ceri na Huw i fynd â hi adref. O ddiffyg dim gwell i'w wneud, aeth draw at y piano a safai yn un gornel. Roedd marciau a chrafiadau lu ar y pren, ond canfu er ei syndod fod tôn dda iddi. I'w diddori ei hun canodd un neu ddau o ddarnau gan Chopin a Schubert yn dawel, yna daeth rhywun ati i ofyn a wyddai gerddoriaeth rhyw ffilm ddiweddar. Roedd gan Luned glust dda a chof campus, a chafodd gymeradwyaeth ei chynulleidfa ar ôl gorffen. Ymgasglodd pobl o'i chwmpas a lluchio ceisiadau ati y naill ar ôl y llall. Yna dechreuwyd canu, a chafwyd unawd operatig fywiog gan feddyg a chanddo lais tenor swynol. Fel y distewai'r nodau olaf gafaelodd yn llaw Luned a'i chodi ar ei thraed, cyn plannu cusan frwdfrydig ar ei boch.

"Cyfeilio hyfryd! Rhaid i ni ddod at ein gilydd eto rywbryd!"

"Canu hyfryd hefyd," gwenodd Luned yn hapus. "Welodd rhywun fy chwaer? Mae'n bryd i mi fynd adra."

"Af fi â chi adre." Cododd Marc o'i gadair freichiau. Ni welsai Luned mohono'n dod i mewn oherwydd ei bod wedi ymgolli yn ei cherddoriaeth.

"Awn ni 'te?" gofynnodd dan afael yn ei braich.

Fel yr aent allan, clywodd Luned lais maleisus merch yn gofyn, "A beth ddwedai ei gariad o, tybed!"

Clywodd Marc yntau'r geiriau. Tynhaodd ei wefusau.

"Gas 'da fi bobl sy'n ceisio creu helynt. Mae priodasau rhwng meddygon yn torri'n lled hawdd — ry'n ni'n gweithio oriau hir, yn dal cysylltiad agos â'r nyrsus. A hefyd, dyna'r ffaith y bydd Aneira a minnau'n gweithio mewn ysbytai gwahanol am beth amser 'to, yn ffaelu gweld ein gilydd ond ar ein dyddiau rhydd."

Syllodd Luned arno'n syn.

"Ond... siawns na fydd Aneira'n dod i weithio i Ysbyty Menai ar ôl i chi briodi?"

"Fydd dim swydd ar gael i ymgynghorydd

anaestheteg am rai blynyddoedd,'' meddai'n sychlyd. Datglôdd ddrws y car a disgwyl iddi fynd i mewn. "Ond bydd swydd yn dod lan yn Nyffryn Clwyd mis Mawrth nesaf.''

"Pryd ydach chi'n bwriadu priodi felly, Marc?''

"Yn yr hydref os bydd y tŷ'n barod. Ond alla i ddim gweld Aneira'n eistedd gartre'n dal ei dwylo am chwe mis,'' sylwodd dan wenu.

Er gwaethaf ei rwystredigaeth ar hyn o bryd, meddyliodd Luned, roedd yn llawer rhy fodern ac eangfrydig i ddymuno cael gwraig fach gartrefol. Partneriaeth rhwng dau berson deallus a galluog fyddai eu priodas hwy. Cododd y syniad y felan arni, ni wyddai paham.

Wrth yrru, tynnodd Marc ei law oddi ar y llyw a tharo penglin Luned yn ysgafn.

"Ry'ch chi'n synnu dyn fwyfwy bob dydd, Luned. Ble dysgoch chi ganu'r piano fel 'na? Y'ch chi'n fy nghuro i'n rhacs!''

"Rydw i wedi cael tipyn o hyfforddiant,'' atebodd Luned yn swta.

"Ble? Gartre?''

"Nage, mewn Coleg Cerdd.''

Pan holodd yn daerach, fe'i cafodd yn gyndyn iawn i'w ateb.

"'Na ferch od y'ch chi, Luned,'' rhyfeddodd. "Pam mae mor gas 'da chi sôn amdanoch eich hunan?''

"Dim ond am ei fod o mor bwysig i mi. Peidiwch â holi mwy, Marc.'' Brathodd ei gwefus.

"Os nad y'ch chi'n moyn,'' meddai'n gwta, a theithiwyd gweddill y siwrnai mewn distawrwydd.

Parciodd Marc yn y sgubor, a thra bu'n cloi'r car clywodd Luned y ffôn yn canu. Gan ei bod bron yn un o'r gloch y bore, gwyddai y byddai pawb yn y gwely. Rhuthrodd i'r tŷ a chodi'r derbynnydd yn frysiog, gan obeithio na ddeffrowyd neb. Aneira! Adnabu Luned y llais miniog yn syth.

"Daliwch y lein, Miss Morgan. Fydd Marc ddim eiliad. Newydd gyrraedd adra rydan ni..."

"Ni?" torrodd Aneira ar ei thraws yn llym, a melltithiodd Luned ei hun am fod mor ddifeddwl.

"Roedd 'na barti yn yr ysbyty, a mi gefais i lifft adra gan Marc." Clywodd sŵn ei draed. "Dyma fo," meddai, a rhoi'r ffôn iddo.

Clywodd ei eiriau cyntaf fel yr âi o'r ystafell.

"Oedd rhaid i ti ffonio mor ddiweddar, cariad? Ffoniest ti 'nghynt? Mae'n flin 'da fi, ond roeddwn i wedi gweud wrthyt ti am y parti."

Caeodd Luned y drws yn dawel a mynd i fyny'r grisiau i'w gwely. Swniai Marc yn ddig, felly rhaid fod Aneira'n bur groes. Yn sicr roedd min ar ei llais pan siaradodd â Luned. Gwrthwynebu i'w chariad ddod â merch arall adref — teimlo'n eiddigeddus. Rywfodd, gwnâi hynny hi'n fwy normal, yn fwy o ferch nag o feddyg; ac yn fwy hoffus hefyd, am ryw reswm.

Syllodd Luned ar ei llun yn y drych tra glanhâi'r colur oddi ar ei hwyneb. Cawsai gryn hwb i'w hunanhyder gan lwyddiant y noson, ond gwyddai'n iawn na allai gystadlu ag Aneira. Roedd Marc wedi dweud ei bod yn ddel y noson honno yn yr ardd. Siaradai'n ysgafn, dan wenu, fel pe bai'n siarad â chwaer fach. Roedd yn amlwg yn hoff ohoni. Ond roedd yn caru Aneira. Agorodd Luned y llenni, ac yna'r ffenestr. Sut deimlad fyddai gwybod fod Marc ei hun mewn cariad â chi?

"Rydw i wedi yfed gormod, Blodyn. Wedi ei dal hi'n rhacs!" Plygodd Luned i anwesu pen yr hen gi, a gysgai bob amser ar y llawr wrth ochr ei gwely.

Diffoddodd y golau a thynnu dillad y gwely drosti, yna gorweddodd gan ddisgwyl clywed Marc yn dod i fyny'r grisiau.

Aeth cryn amser heibio cyn iddi ei glywed. Oedd o wedi bod ar y ffôn drwy'r adeg? Oedd Aneira'n gwrthod ymdawelu? Mwy na thebyg iddynt fod yn trafod beth bynnag a barodd iddi ffonio yn y lle cyntaf. Fel y llithrai i afael cwsg, y peth olaf a aeth drwy feddwl Luned oedd ei bod yn treulio llawer gormod o'i hamser yn pendroni dros drafferthion Marc. Hen arferiad cas; rhaid fyddai iddi wneud ymdrech lew i roi'r gorau iddo.

Ar ddydd Sadwrn, gadawai Luned i bawb gysgu'n hwyr. Pan gododd Marc daeth ati i'r briws.

"Flin 'da fi godi'n ddiweddar. Peidiwch â thrafferthu 'da ffrio. Fe gymera i greision ŷd. Ydych chi wedi cael brecwast? Nad y'ch chi? Fwyta i 'da chi fan hyn 'te!"

"Dim rhaid i chi."

"'Na beth dw i'n moyn," meddai'n bendant, ac eistedd wrth y bwrdd.

Gwyddai Luned ei fod ar ddyletswydd dros y Sul. "Fydd Aneira'n dod i fyny?" gofynnodd.

Gwgodd Marc a thynhau ei geg. "Na," meddai'n swta, a gafael yn y papur lleol.

Fel y darparai hi'r brecwast, archwiliodd yntau'r hysbysebion.

"Chwilio am unrhyw beth arbennig?" gofynnodd Luned.

"Canolfan arddio. Oes un gerllaw?"

"Oes. Mi eglura i'r ffordd i chi, felly mi fedrwch fynd yno pan ddaw Aneira yma nesa."

"Af fi yno fy hunan." Swniai'n bur ddiflas a gwaedai calon Luned drosto. Rhaid fod Aneira'n ddall. Dylasai fod yn nes ato yn ystod y cyfnod hwn, i rannu'r dasg o baratoi'r tŷ a'r ardd.

"Marc," dechreuodd wrth droi'r cig moch yn y badell, "peidiwch, da chi, â meddwl 'mod i'n busnesu, ond rydach chi'n amlwg yn bur anfodlon ar eich bywyd ar hyn o bryd." Gwelodd ei gorff yn tynhau ac ychwanegodd yn frysiog, "Rydw i *yn* busnesu, felly gwell i mi gau fy ngheg."

Edrychodd arni'n dreiddgar, yna gwenodd ac ysgwyd ei ben. "Popeth yn iawn, Luned. Mae'n hawdd siarad 'da chi, a dw i angen bwrw fy mola. Be' sydd 'da chi ar eich meddwl, 'te?"

"Fedrech chi ddim cymell Aneira i roi'r gorau i'r swydd yna sydd ganddi a symud yma? Priodi'n gynt? Siawns nad oes angen meddygon dros dro yn yr haf fel hyn, a chymaint ohonyn nhw'n mynd ar eu gwyliau?"

Bu'n meddwl yn dawel am funud.

"'Falle," cytunodd, "ond ble bydden ni'n byw? Mae'r tŷ'n annibendod llwyr."

"Gwneud rhyw un neu ddwy o'r ystafelloedd yn barod, a "gwersylla", fwy neu lai, yn y rheini. Mi fyddai'n hwyl."

"Dwi ddim yn meddwl taw byw dan draed adeiladwyr fyddai Aneira'n gyfrif yn hwyl!"

Yn y distawrwydd, ymdrechodd Luned eto. "Mae 'na ryw ffordd, does bosib, Marc. Petawn i yn ei lle hi..." Gwridodd o'i weld yn cuchio.

Bu tawelwch am ychydig, yna mentrodd Luned, "Marc, oes 'na rywbeth mawr o'i le, rhywbeth mwy nag arfer? Agorais i ormod ar fy ngheg rŵan?"

Ochneidiodd Marc.

"'Ngeneth annwyl i, ceisio helpu roeddech chi, ac rwy'n gwerthfawrogi'ch diddordeb chi. Os agoroch chi ormod ar eich ceg, neithiwr oedd 'ny, nid 'nawr."

Tynnodd wyneb, a chofiodd Luned.

"O'r mawredd! Roeddwn i wedi anghofio! Mae arna i ofn i mi roi 'nhroed ynddi pan atebais i'r ffôn. Ddylswn i ddim fod wedi deud ichi ddod â fi adre o'r parti, na ddylswn i?"

"Byddai'n well pe baech chi wedi peidio," cytunodd yn bwdlyd.

"O Marc, mae'n wir ddrwg gen i. Doeddwn i ddim yn bwriadu codi twrw." Nid atebodd, a phlygodd hithau tuag ato'n bryderus. "Feddyliais i ddim, o ddifri rŵan."

Cymerodd ei amser cyn ateb, yna'n sydyn ffrwydrodd, nes peri i Luned neidio o'i chadair a cholli ei choffi.

"Menywod," ebychodd, gan guro'r bwrdd yn galed â'i law. "Roeddwn i'n credu fod mwy o synnwyr 'da Aneira. Allech chi feddwl 'mod i wedi *mynd* â chi i'r parti gythrel 'na! Wnes i ddim ond dod â chi gartre oherwydd ein bod ni'n digwydd byw yn yr un tŷ."

Edrychodd Luned yn bryderus arno.

"Mae'n ddrwg gen i i chi ffraeo neithiwr, yn enwedig gan mai arna i oedd y bai."

Estynnodd ei gwpan iddi am chwaneg o goffi.

"'Falle taw chi gychwynnodd y cweryl," meddai'n sarrug, "ond roedd e yn y gwynt byth er i fi ddod lan 'ma. Dw i ddim yn deall, dw i ddim yn deall o gwbwl, fel y gall merch mor ddeallus ag Aneira fod mor ddwl!"

"Dydi deallusrwydd yn cyfri dim pan fyddwch chi'n sôn am deimladau," meddai Luned. "Marc, pan welwch chi hi nesa, ceisiwch ei pherswadio hi i symud i fyny yma."

"Fyddai hi byth yn cytuno. Mae hi'n moyn dechrau ei bywyd priodasol mewn cartre fel y tŷ lle'i maged hi."

"A sut dŷ oedd hwnnw?"

"Llys Arwel, plasty hardd yng Ngheredigion. Yn y teulu ers cenedlaethau. Yno y byddai hi'n treulio'i gwyliau. Mae fflat moethus 'da nhw yn Llundain hefyd ger Hyde Park — ei thad yn gweithio yno."

Fflat yn rhan grandiaf Llundain a phlas yng Ngheredigion! Hawdd deall pam roedd Aneira mor anodd i'w phlesio!

"Rydw i'n gweld eich problem chi, ond os ydi hi'n eich caru chi mae hi'n siŵr o geisio addasu."

"Dyw Aneira ddim yn bwriadu addasu byth!" cyfarthodd, yna ochneidiodd a gwthio'i gadair yn ôl. "Ddylswn i ddim ei thrafod hi 'da chi fel hyn, ond rwy'n gwybod na 'wedwch chi'r un gair wrth neb."

Ymddangosai'n fwy diniwed nag arfer, yn haws ei frifo. Tynnai ei law drwy ei wallt, wrth i'r cudynnau syrthio i'w lygaid. Edrychai fel bachgen bach, yn anhapus — ac yn anhygoel o ddeniadol — a theimlodd Luned awydd cryf i'w gysuro.

"Peidiwch â threulio dyddiau'n ddig wrth eich gilydd. Cymodwch cyn gynted ag y medrwch chi. Pam na ffoniwch chi hi cyn cychwyn y bore 'ma?" Plygodd tuag ato, a gwenodd yntau o weld golwg mor ddifrifol ar ei hwyneb.

"'Na ferch annwyl y'ch chi, Luned. Rwy'n credu cymera i'ch cyngor chi."

Yn hwyrach y dydd, pan ymadawai am yr ysbyty, aeth Marc heibio iddi yn y cyntedd.

"Rwy wedi ffonio, ond dyw Aneira ddim gartre. Gresyn!" meddai. Roedd yn amlwg yn drist ac ar bigau'r drain.

Y noson honno bu raid iddo weithio'n hwyr. Tra golchai Luned y llestri swper canodd cloch y ffrynt.

"Agor y drws, wnei di, Geraint?"

Dychwelodd yntau mewn eiliad â golwg anfodlon ar ei wyneb.

"Y ddynes 'na, cariad Marc. Wyddwn i ddim ei bod hi'n dod."

"Na finnau." Sychodd Luned ei dwylo a mynd drwodd i'r cyntedd. Cododd Ceri, a ddaethai adref dros y Sul, i'w dilyn, ond ailfeddyliodd ac eistedd i lawr.

Yno safai Aneira'n urddasol, yn y siaced swêd a edmygai Luned gymaint.

"Noswaith dda, Miss Wyn. Mae Dr Ffransis mas, rwy'n deall."

"Ydi, Miss Morgan, ond siawns na fydd o ddim yn hir."

Gwenodd Aneira'n sychlyd. "Yna fe arhosa i yn ei stafell e."

Swniai'n hynod ffroenuchel, ond gallai Luned synhwyro'r tyndra o'i mewn. Mwy na thebyg na wyddai sut groeso a'i disgwyliai.

"Gawsoch chi swper, Miss Morgan?" gofynnodd.

Cyfaddefodd Aneira nad oedd wedi bwyta ers oriau, felly cynigiodd Luned fynd â thamaid i fyny iddi ar hambwrdd. Ni fedrai yn ei byw gymryd ati, ond gan mai darpar wraig Marc ydoedd, teimlai fod rhaid iddi wneud ymdrech. Paratôdd salad cyw iâr iddi, gyda thafell neu ddwy o fara 'menyn. Gwydraid o lefrith, efallai? Tywalltodd beth o'r botel a chludo'r hambwrdd i'r llofft.

Roedd Aneira'n prowla o gwmpas ystafell Marc, yn amlwg ar binnau. Rhoes Luned yr hambwrdd i lawr ar y bwrdd bach ger y ffenestr.

"Mi fydd yn ôl i chi toc. Beth am damaid o fwyd tra byddwch chi'n disgwyl?"

Syllodd Aneira ar y bwyd. "Diolch," meddai'n syn, a'i meddwl yn amlwg ar y sgwrs a gâi cyn hir gyda Marc.

Gwelai Luned nad oedd arni awydd siarad, felly gadawodd iddi, a mynd allan at ddrws y ffrynt ac anadlu aer yr hwyr yn ddwfn. Roedd bellach yn fis Mehefin a'r dydd hwyaf bron ar eu gwarthaf. Crwydrodd hithau o gylch yr ardd yn y llwyd-dywyllwch, yn gyndyn o fynd yn ei hôl i'r tŷ. Pan drodd car Marc i mewn i'r buarth, pwysai yn erbyn y wal ger y goeden ellyg, a safodd yn ei hunfan heb iddo'i gweld tra cadwai yntau'r car yn y sgubor. Roedd yn rhyw led-feddwl gadael iddo wybod fod Aneira wedi cyrraedd er mwyn iddo fod yn barod amdani, pan welodd ddrws y ffrynt yn agor, ac Aneira'n rhuthro allan.

"Marc?" Oedodd am funud gan edrych o'i chwmpas, yna rhedodd i'w gyfeiriad, a chamodd Luned yn ôl yn frysiog i gysgod y gwrych. Clywodd Marc yn ebychu'n syn ac Aneira'n rhoi llef fach rhwng chwerthin a chrïo, yna bu distawrwydd. Cerddodd Luned heibio talcen y tŷ at ddrws y cefn, ac yno taflodd gipolwg dros ei hysgwydd. Gallai weld rhyw arlliw ohonynt drwy'r gwyll yn cusanu'n angerddol ym mreichiau ei gilydd.

Gan deimlo'n euog am iddi sbecian arnynt, brathodd ei gwefus a mynd i mewn i'r briws, lle'r eisteddai Ceri a Siwan.

"Ydi'r cariadon wedi cymodi?" gofynnodd Ceri'n wawdlyd.

Amneidiodd Luned. Ymollyngodd ar gadair a syllu ar sgrin y set deledu a'i meddwl ar y cwpwl yn yr ardd. Gryn amser yn ddiweddarach, daeth Marc i'r briws ar ei ben ei hun. Edrychai'n flinedig, ond yn llawer hapusach nag y buasai yn y bore.

"Diolch i chi am fwydo Aneira." Wedi oedi am eiliad, gofynnodd a oedd un o'r ystafelloedd sengl ar gael. Amneidiodd Luned. "Gaiff hi aros yma am heno? Anghofiodd hi wneud trefniadau." A gwenodd: yn amlwg nid oedd Aneira'n arfer bod mor ddi-lun.

Ymystwyriodd Ceri. Oedodd Luned am funud ac edrych ar ei chwaer, ond ni allai feddwl am unrhyw esgus dros wrthod.

"Mi af i i wneud y gwely," meddai.

Pan ddangosodd y llofft i Aneira, edrychodd honno o'i chwmpas yn dalog. Roedd y stafell yn fach a'r dodrefn yn syml, ond buasai pob ymwelydd arall yn eithaf bodlon arni.

"Fe wnaiff y tro, gwlei," meddai Aneira'n ddi-hid, "er y byddai'n well 'da fi gael stafell 'molchi i fi'n hunan."

"Mi fedrwch ddefnyddio un Marc," awgrymodd Luned gan ymdrechu i gadw'i thymer. "Un noson fyddwch chi yma, wedi'r cwbl."

"'Falle'r arhosa i i'n hwy," atebodd Aneira. "Mae Marc yn moyn i fi fynd i weld yr adeiladwyr ddydd Llun, i'w cael i ganolbwyntio ar ryw ychydig o'r ystafelloedd. Yna gallwn ni drefnu'r briodas." Swniai'n hyderus fel y syllai ar Luned.

"Mae arna i ofn na fedrwch chi ddim aros ar ôl dydd Sul," meddai Luned yn dawel. "Mae'r llofft wedi'i gosod."

Cribodd Aneira'i gwallt dan wenu ar ei llun yn y drych.

"Popeth yn iawn, Miss Wyn. Bydd rhai i fi ddefnyddio'r soffa yn stafell eistedd Marc." Lledodd y wên. "Er y byddai ei wely fe'n fwy cysurus." Cyffyrddodd â'r fodrwy ddyweddïo ar ei bys. "Pwy feddyliai y byddai Marc y fath lipryn? Mae e'n mynnu mai fan hyn rwy fod i gysgu heno."

Cerddodd Luned tua'r drws a'i hwyneb yn cochi: roedd rhywbeth yn ffiaidd yng ngeiriau'r ferch.

"'Falle ei fod e'n meddwl y bydden ni'n rhoi esiampl wael i'r chwaer fach 'na sy 'da chi," ychwanegodd Aneira, a chaeodd Luned y drws arni'n frysiog, yn falch o gael dianc.

Pa ots iddi beth a wnâi Marc ac Aneira! Byddai llawer iawn o gyplau a oedd ar fin priodi yn cysgu gyda'i gilydd y dyddiau hyn. Pam felly yr ymdrafferthodd Aneira i bwysleisio cymaint ar y ffaith? Doedd bosibl fod merch mor hyderus a llwyddiannus â hi yn dal i boeni am yr hyn a ddigwyddodd neithiwr, yn enwedig a hithau'n priodi cyn hir?

"Gwneud yn siŵr mae hi," meddyliodd Luned yn fingam wrth fynd am ei llofft ei hun, "gwneud yn siŵr 'mod i'n sylweddoli mai hi, a neb arall, biau Marc."

Fore trannoeth, cododd Ceri'n gynt nag y gwnâi fel arfer ar ei dyddiau rhydd. Daeth i lawr i'r briws at Luned, a golwg fel pe bai heb gysgu winc arni.

"Pam na faset ti'n aros yn dy wely?" gofynnodd Luned.

Syllai Ceri tua drws y gegin fwyta.

"Rydw i wedi bod ar ddihun ers chwech."

Clywsant sŵn traed yn y cyntedd, a cherddodd Marc ac Aneira i'r gegin fwyta. Yn dal a golygus yn eu dillad hamdden, edrychent yn bâr delfrydol. Syllodd Ceri'n awchus arnynt a'i hwyneb yn tynhau.

"Mae hi'r un fath yn union ag y byddai yn y Dywysoges ers talwm. Mi wnâi dillad fel 'na i fwgan brain edrych yn smart. Cyflwyna fi, Luned. Mi fydd drosodd wedyn."

Aeth y ddwy atynt. Roedd Ceri'n sylweddoli bod yn rhaid iddi reoli ei hun bellach; sgwrsiodd yn hyderus am ysbaid cyn dychwelyd i'r briws gyda'i chwaer.

"Fel y gallet ti ddisgwyl," sylwodd. "Cyfoethog a chrachaidd ac wedi ei difetha'n lân! Be' mae Marc yn ei weld ynddi hi?"

Ochneidiodd Luned; roedd Ceri'n dechrau mynd yn ddiflas.

"Nid felly mae hi'n edrych iddo fo, siŵr iawn. Mae o'n ei charu hi. Dydi hi ddim yn ei drin o fel taeog!" Ceisiodd gellwair, ond ni chafodd wên gan Ceri.

"Wnân nhw ddim para'n hir," meddai'n hyderus. "Ei gyrfa hi ddaw'n gynta bob amser, gei di weld."

"Be' wyddost ti? Maen nhw'n mynd i drefnu'r briodas toc. Mi ddywedodd wrthyf i neithiwr."

Gadawodd Marc Aneira'n eistedd ar y lawnt yn darllen y papurau Sul, tra âi yntau i'r ysbyty i weld y cleifion a ddaethai i mewn y noson cynt. Tuag un ar ddeg, crwydrodd Aneira i'r tŷ.

"Gymrwch chi goffi?" gofynnodd Luned. "Mae'r ymwelwyr eraill newydd gael peth."

"Diolch yn fawr. Gymera i fe tu fas, os gwelwch yn dda." Dim paned fach gyfeillgar yn y briws i Aneira!

Cludodd Luned hambwrdd allan a'i ddodi ar y fainc lle'r eisteddai'r ferch. Disgleiriai'r ardd yn brydferth a heddychlon yng ngolau'r haul, ond nid ymddangosai Aneira mor fodlon ag y gwnâi y noson cynt.

"Dylsai Marc fod 'nôl erbyn hyn," meddai'n flin.

"Mae'n rhaid fod rhywbeth annisgwyl wedi codi. Mae gwaith meddyg yn wahanol i waith pobl eraill, on'd ydi?"

"Rwy'n gwybod 'ny, Miss Wyn!" cyfarthodd Aneira. "Meddyg wyf innau hefyd." Cuchiodd uwchben ei choffi ac ychwanegu wrthi'i hun. "Mae cofrestrydd anobeithiol 'da fe, byth yn fodlon derbyn cyfrifoldeb. Mae e'n galw Marc mewn bob tro mae argyfwng."

Roedd Luned wedi cyfarfod y gŵr ifanc dan sylw, a oedd yn gyfaill i Huw Williams.

"Newydd ddechrau mae o, ynte? Heb gael llawer o brofiad."

"Ddylsai fe ddim mynd yn llawfeddyg os oes ofn cyfrifoldeb arno fe," dirmygodd Aneira. "Fyddwn i ddim yn goddef agwedd fel 'na 'da fy meddygon iau."

Gwyddai Luned mai cofrestrydd uwch oedd Aneira, un gris yn unig islaw'r ymgynghorydd. Hawdd ei dychmygu'n cael ei chasáu â chas perffaith gan y rhai a weithiai odani.

"I Ysbyty Menai yr ewch chi ar ôl priodi?" gofynnodd.

Cododd Aneira'i hysgwyddau ac ategu geiriau Marc.

"Fydd neb o'r anaesthetwyr yn ymddeol am flynyddoedd, ond mae swydd yn dod lan yn Nyffryn Clwyd ddechrau'r flwyddyn."

"Dydi fan 'no ddim yn rhy bell?"

"Byddai'n rhaid i fi gysgu 'na ambell noswaith," cyfaddefodd Aneira.

"A fyddai dim ots gennych chi?" Trefniant pur od i wraig newydd briodi, meddyliodd Luned. "Oni fyddai'n well gan Marc i chi weithio'n nes adre?"

"Wrth gwrs byddai well 'da fe," meddai Aneira'n ddiamynedd, "ond does dim swydd i gael, felly rhaid iddo fe dderbyn y sefyllfa."

"Meddyg teulu?"

"Dim perygl!" Daeth dirmyg amlwg i wyneb Aneira. "Dw i ddim wedi astudio'n galed am flynyddoedd i 'bennu'n feddyg teulu yng nghanol y wlad."

"O," meddai Luned yn ddifynegiant. "Mi feddyliwn i fod gwaith meddyg teulu'n ddiddorol ac... ac yn rhoi bodlonrwydd mawr i rywun."

"Wnelech chi? Ond dy'ch chi ddim yn feddyg, ydych chi, felly sut gallech chi wybod?" Dododd Aneira'i chwpan wag ar yr hambwrdd. "Diolch, Miss Wyn, coffi ardderchog," ac ailafaelodd yn y papur newydd.

"Ffwrdd â thi, Lun," meddyliodd Luned wrth gerdded tua'r tŷ dan wgu a gwenu bob yn ail. Roedd Ceri'n iawn: beth ar y ddaear a ddenodd Marc at y ferch?

Dechreuodd ddod i ddeall amser cinio. Ffafriai Aneira fynd allan am bryd, ond mynnodd Marc fwyta yn y tŷ.

"Allwn i gael fy ngalw i'r ysbyty, cariad. Byddai'n well i ni aros, os nad oes wahaniaeth 'da Luned."

Mynnodd hefyd gael bwyta gyda'r teulu. Gwnaeth Luned ginio yn y gegin fwyta, gan fod yr ymwelwyr eraill wedi mynd allan drwy'r dydd. Roedd hwyliau ardderchog ar Marc, oherwydd fod y gwaith ar y tŷ'n mynd ymlaen yn dda.

"Maen nhw ar fin gorffen y plastro. Mae'r stablau bron â bod yn barod, felly gelli di gael y ceffylau draw 'na'n syth wedi i ni fynd mewn."

Gwenodd ar Aneira, a sylwodd Luned ar Ceri'n gafael mor dynn yn ei gwydryn nes i'w migyrnau wynnu.

Gwenodd Aneira'n ôl ar Marc. "Rwy'n falch, cariad. Dw i ddim yn moyn eu gadael nhw gartre'n hwy nag sydd raid i fi."

"Fyddwch chi'n neidio'r ceffylau, Dr Morgan?" gofynnodd Siwan a'i llygaid yn pefrio.

Gwenodd Aneira'n raslon. Yn ôl pob golwg, hoffai Siwan yn well na gweddill y teulu.

"Bydda, ond dw i ddim yn cael amser i neidio'n aml y dyddiau hyn."

"Mi fedrech chi gystadlu ym Mhreimin Môn — y Sioe Amaethyddol," meddai Siwan yn eiddgar.

"'Falle'n wir," atebodd Aneira. Rhoddodd ei llaw ar fraich Marc, "Tithau hefyd, cariad, er nad wyt ti ddim yn ymarfer llawer y dyddiau hyn."

"Dim amser," meddai Marc dan chwerthin.

"Sawl ceffyl sydd gennych chi, Dr Morgan?" gofynnodd Luned.

"Dau," meddai, "ac rwy'n gofalu am geffyl Marc hefyd. Wyt ti'n cofio prynu Seren?" gofynnodd gan droi tuag ato.

Erbyn iddynt orffen eu cinio, adwaenai Luned natur y berthynas rhwng y ddau yn well. Buasent yn ffrindiau ers dyddiau plentyndod, gan fod eu rhieni hefyd yn hen gyfeillion, a'r ddau dad wedi eu magu nid nepell oddi wrth ei gilydd. Roedd Marc wedi prynu gwin, ac oedodd pawb uwch ei ben gan ymlacio'n braf. Ceri oedd yr eithriad: eisteddai hi'n ddistaw a'i hwyneb fel procer.

Wedi gorffen bwyta, ochneidiodd Marc yn fodlon a gwthio'i gadair yn ôl.

"Pryd ardderchog. On'd oedd e, Aneira?"

"Hyfryd iawn," cytunodd Aneira'n ddideimlad. "Gawn ni fynd i eistedd yn yr ardd, cariad?"

Cododd y ddau a gafael ym mreichiau ei gilydd.

"Bydd rhaid i ti ofyn i Luned dy ddysgu i goginio. Prin y gall Aneira ferwi ŵy," ychwanegodd dan wenu.

Daeth golwg anghysurus dros wyneb Aneira.

"Dw i erioed wedi gorfod ceisio," meddai. "Ond fe all unrhyw un goginio, dim ond dilyn y cyfarwyddiadau'n ofalus — braidd fel gwneud arbrofion cemegol, ond fod angen llai o allu!"

"A dyna fy rhoi i a fy mymryn dawn yn fy lle!"

meddyliodd Luned. Pam, tybed, y teimlai Aneira gymaint o awydd ei bychanu?

"Yr hen ast drwynsur!" murmurodd Ceri.

PENNOD 5

Ni fu'n rhaid i Aneira ymadael ddydd Llun yn y diwedd. Gorfu i un o westeion Luned ohirio'i gwyliau oherwydd fod ei mam yn sâl.

Ddydd Mawrth roedd gan Marc brynhawn rhydd, felly aeth gydag Aneira i'r tŷ. Cyrhaeddodd y ddau adref tua deg ar ôl pryd mewn gwesty.

Eisteddai Luned ar y lawnt, yn ymlacio ar ôl noson o arddio. Teimlai'n boeth, blinedig a budr, a phan welodd Marc ac Aneira'n edrych mor gymen, daeth yn fwy ymwybodol fyth o'i blerwch. Gwisgai Marc siwt ysgafn lwyd gyda chrys gwyn, ac Aneira ffrog haf ddeniadol o liw hufen. Roedd golwg soffistigedig a hyderus ac ar ben eu digon arnynt.

"Helo, Luned." Arhosodd Marc ger y fainc a gwenu i lawr arni. "Roeddech chi'n iawn, mae'r "Afr Aur" yn lle gwych. Cawson ni bryd ardderchog, on'd do fe, Aneira?"

"Ardderchog," cytunodd Aneira, gan afael ym mraich Marc ac edrych braidd yn dosturiol ar Luned. "Y'ch chi byth yn mynd mas, Miss Wyn?"

"Luned," meddai Marc. "Pam y'ch chi'ch dwy wastad mor ffurfiol?"

"O'r gorau 'te, Luned. Dy'ch chi ddim yn cael llawer o hwyl, y'ch chi, ynghlwm i'r lle hyn?" Llygadodd ddwylo priddog Luned yn anghymeradwyol. "Byddwch chi'n eu difetha nhw os na wisgwch chi fenyg."

"Fedra i ddim gweithio efo menyg," meddai Luned yn swta.

Cythruddai ffordd nawddogol y ferch arall hi. Cododd ar ei thraed, a gwthio'i chrys i mewn i'w jîns.

69

"Os gwnewch chi f'esgusodi i..."

"Peidiwch â dianc," plediodd Marc. "Mae 'da ni newydd da, Luned. Mae'r adeiladydd wedi dweud wrthon ni pryd bydd e'n debyg o 'bennu, felly fe allwn ninnau ddewis dyddiad ein priodas!"

Teimlodd Luned ryw dyndra rhyfedd dan ei bron ac am eiliad ni allai ddweud yr un gair.

"Go dda," meddai, ond rywfodd, nid oedd hynny'n ddigon. "Pa bryd byddwch chi'n priodi, felly?"

"Tua diwedd mis Medi neu ddechrau Hydref," gwenodd Aneira.

"Diod i ddathlu," meddai Marc. "Af i i moyn peth. Yfwn ni e mas fan hyn."

"Dydw i ddim yn meddwl..." dechreuodd Luned.

"Y'ch chi'n edrych fel pe bai angen rhywbeth arnoch chi," meddai'n bendant. "Wisgi a soda? Neu sherri? Yr un peth ag arfer i ti, Aneira?"

Cychwynnodd tua'r tŷ. Â'i llaw dwt, sicrhaodd Aneira fod y fainc yn lân, yna eisteddodd wrth ochr Luned.

"Ga i wybod tipyn am y tŷ?" gofynnodd Luned, i dorri'r distawrwydd annifyr.

Hen reithordy a godwyd tua diwedd yr ail ganrif ar bymtheg ydoedd, yn ôl Aneira. Wedi dadfeilio braidd, ond gyda chryn bosibiliadau. "A phan werthwn ni e, dylsen ni wneud elw da."

"Ei werthu o?" Ond pam bydd arnoch chi eisio symud a chithau'n hoffi'r lle gymaint?"

"Bydd rhaid i ni symud, wrth gwrs, pan gaiff Marc swydd well."

"Ond... dydi o ddim yn hapus yn y swydd yma?"

Eglurodd Aneira, yn ei ffordd nawddoglyd arferol, na fyddai dyn mor alluog â Marc byth yn fodlon gweithio mewn twll o le fel Ysbyty Menai drwy gydol ei yrfa.

"Fydd angen darbwyllo arno fo?" gofynnodd Luned.

"O, mae 'da Marc y syniad sentimental hyn am fyw ar lan y môr mewn ardal Gymraeg. Ddim yn moyn i'w blant dyfu lan yn y dre, yn arbennig yn Llundain ble cafodd e ei hunan ei fagu."

Cyrhaeddodd Marc yn ei ôl gyda'r diodydd.

"Rhaid i chi ddod gyda ni i weld y tŷ y tro nesa, Luned." Siaradai'n llawn brwdfrydedd am eu cartref newydd. Roedd Aneira, ar y llaw arall, yn amlwg wedi cael hen ddigon ar y pwnc. Yfodd ei diod a chodi ar ei thraed.

"Rwy'n mynd i ffonio Mam," meddai.

Gwenai Marc yn ofidus braidd wrth iddo wylio'i ddarpar wraig yn ymlwybro tua'r tŷ.

"Does dim llawer o ddiddordeb 'da hi mewn gwaith tŷ," sylwodd, "ond fe ddaw."

"Daw, gobeithio," meddai Luned, yna sylweddolodd iddi swnio'n anghwrtais braidd. "Hynny ydi, mae hi'n siŵr o ddysgu. Pan ddechreuais i gadw'r tŷ yma, doedd gen innau fawr o glem chwaith."

"Nac oedd e?" synnodd Marc. "Y'ch chi'n edrych fel petaech chi'n ferch ymarferol erioed."

"Ddim o'r crud," gwenodd Luned. "Doeddwn i ddim yn anniddorol a chartrefol ers talwm!" Yna'n sydyn cywilyddiodd oherwydd ei hunandosturi. "Diolch am y ddiod," meddai'n gwta, a dilyn Aneira i'r tŷ.

Nos drannoeth, galwodd Luned yn Ysbyty Menai i edrych am Ceri. Pryderai am ei chwaer, a edrychai'n fwyfwy blinedig o hyd dros y Sul. Ni chlywsai ddim oddi wrthi wedyn. Daeth o hyd iddi gyda rhai o'i chyd-weithwyr yn ystafell gyffredin y meddygon preswyl. Synnodd Ceri o'i gweld.

"Teimlo fel mynd o'r tŷ am dipyn," meddai Luned yn ysgafn.

"Fedret ti ddim chwilio am rywle mwy diddorol?" gofynnodd Ceri'n anniolchgar. "Noson wael i'w dewis, p'run bynnag. Rydw i'n brysur heno."

Siaradodd y ddwy am ryw hanner awr, yna edrychodd Ceri ar ei wats.

"Eisio cael gwared â fi?" gofynnodd Luned yn dawel, a chododd Ceri ar ei thraed yn gyflym.

"Mae'n rhaid i mi fynd i weithio."

Dilynodd Luned hi tua'r drws, a meddai Ceri'n flin, "Dim rhaid i ti fynd. Aros efo Huw."

"I dy weld *di* y des i."

"Gad lonydd i mi, Luned! Gad lonydd i mi." Cododd llais Ceri a syllodd dwy nyrs a âi heibio yn chwilfrydig arnynt. Trawodd ei llaw ar ei cheg rhag igian wylo. Pan lwyddodd i'w rheoli ei hun, gwenodd yn wan, "Mi wn i dy fod di'n trio helpu, ond fedri di byth. Fedr neb. Ydi hi am aros yn hir?"

"Mae hi'n gadael fory. Mae'r adeiladwyr yn gweithio'n galetach o'r diwedd."

"Pa bryd byddan nhw'n priodi, felly?"

"Yn yr hydref rywbryd. Fedri di ddod adre nos fory?"

"'Falla. Rhaid i mi fynd rŵan."

Wrth iddi gerdded i'r ffordd i ddisgwyl y bws, ymddangosai i Luned fod Ceri o'r diwedd wedi derbyn yr anochel, ac nad oedd bellach yn ei thwyllo'i hun y gallai Marc ac Aneira wahanu. Dyna pam yr oedd mor anhapus, ond fe wellai gyda threigl amser. Hwyrach y câi gymorth gan Huw Williams, a oedd, yn ôl pob golwg heno, mor driw ag erioed iddi.

Cyrhaeddodd adref i ganol argyfwng: lleisiau uchel i'w clywed o rywle yn y llofftydd, a Siwan a Geraint yn gwrando wrth ddrws y briws. Roedd y ddau yn amlwg wedi'u cyffroi, ac yn hynod falch o weld eu chwaer fawr.

"Be' sy'n digwydd?" gofynnodd Luned pan glywodd lais clir Aneira'n codi'n uwch nag arfer, a'i thad yn ei hateb yn sarrug.

"Wn i ddim," sibrydodd Siwan, ac ychwanegodd Geraint yn ddig, "Mae hi'n ddychrynllyd o gas efo Dad — deud ei fod o'n lleidr!"

Rhuthrodd Luned i fyny'r grisiau fesul dwy, a chyrraedd drws ystafell Marc fel y dôi ei thad allan a'i wyneb yn goch ac yn euog. Gwisgai ei hen siwmper flêr a'i sliperi. Roedd golwg fel trempyn arno, ac arogl wisgi ar ei wynt.

"Beth ydych chi'n 'i 'neud, Dad?" gofynnodd Luned, ond gwthiodd heibio iddi a baglu i lawr y grisiau heb yngan gair.

Ymddangosodd Aneira yn y drws. Yn wahanol i Mr Wyn, roedd ganddi hi ddigon i'w ddweud.

"Fe ddes i'n ôl yn annisgwyl a'i ganfod e'n yfed wisgi Marc. Roeddwn i'n amau'n wir fod y gwirod yn gorffen yn gyflym. 'Na beth pitw a chrintachlyd i'w wneud!" Rhythodd ar Luned, fel pe bai hi'n gyfrifol am ymddygiad ei thad.

"Dr Morgan, os gwelwch chi'n dda, peidiwch â chodi twrw." Edrychodd i gyfeiriad y llofftydd eraill yn bryderus, a chwarddodd Aneira'n ddicllon.

"Maen nhw mas. Roedden ni mas hefyd, ond des i'n ôl yn gynnar oherwydd i Marc gael galwad frys i'r ysbyty. Dalies i fe wrthi, a chafodd e'r fath sioc nes gollwng y botel." Rhoes gic ddirmygus i'r botel.

"Mae'n ddrwg iawn gen i." Dilynodd Aneira i'r ystafell a chau'r drws. "Nhad... mi welwch sut mae hi... mae o wedi mynd i ddibynnu ar ddiod..."

"Hynny yw, mae e'n alcoholig?" gofynnodd Aneira'n galed.

"Ydi, mae'n debyg. A does ganddo fo fawr o bres.

73

Fedr o ddim fforddio prynu llawer.''

''Y'ch chi'n ceisio gwneud esgusion drosto fe?''

''Nac ydw siŵr iawn! Dim ond egluro. Mi bryna i botel yn ei lle hi.''

''Rwy'n credu fod mwy nag un botel yn ddyledus i Marc,'' meddai Aneira'n angharedig. ''Nid dyma'r tro cynta, fe gyfaddefodd e 'ny.''

Dan gywilyddio'n drist, ymddiheurodd Luned eto. ''Fydd rhaid i chi ddeud wrth Marc?'' Cwestiwn dwl!

''Wrth gwrs y bydd. Os oes synnwyr 'da fe, bydd e'n chwilio am rywle arall. Doedd dim bwriad o gwbl 'da fe aros fan hyn ar y dechrau. Dim ond dros dro, nes cael lle gwell.''

Ni allai Luned oddef ychwaneg. ''Mi siarada i efo Marc pan ddaw o'n ôl,'' meddai, a gadael yr ystafell yn frysiog. Oedodd wrth droed y grisiau a arweiniai i'r daflod. A ddylai fynd at ei thad? Dim heno. Yfory, wedi iddi ddod at ei choed. Fodd bynnag, rhaid fyddai iddi siarad â Marc heno, a hynny cyn i Aneira gael cyfle, os gallai.

Aeth allan i'r ardd, a loetran yn ymyl y sgubor. Pan gyrhaeddodd Marc, rhedodd at ei gar.

''Marc!''

''Chi sydd 'na, Luned?''

''Marc, mae'n rhaid i mi gael gair bach efo chi.'' Adroddodd yr holl stori ffiaidd tra gwrandawai Marc mewn distawrwydd.

''Rwy'n gweld. Peidiwch becso cymaint, Luned. All neb eich beio chi.''

''Ond rydw i'n teimlo mai fi sy'n gyfrifol. Mi ddylswn fod wedi sylweddoli.''

''Nonsens.'' Roedd Marc yn bendant. ''Allech chi byth.''

''Mae Aneira'n gweld bai arna i.''

''All hi byth â bod mor hurt.'' Rhoes ei fraich am

74

ei hysgwyddau i'w chysuro, a cherddodd y ddau am y tŷ.

"Mi wna i dalu i chi," addawodd.

"Mmm?" Syllodd i lawr arni. "Er mwyn popeth, Luned. Dyw'r wisgi ddim yn bwysig. Pam cymrodd e fe, 'na beth sy'n cyfrif."

Fel yr aent i mewn drwy ddrws y ffrynt daeth Aneira i lawr y grisiau. Culhaodd ei llygaid pan welodd fraich ei chariad am ysgwyddau Luned.

"Wedi achub y blaen arna i?" gofynnodd yn finiog, a syllodd Marc arni mewn syndod.

"Annheg, cariad. Mae Luned druan yn gofidio."

"Dylsai hi ofidio hefyd. Hoffwn i ddim cael tad sy'n lleidr."

"'Na ddigon, Aneira. Beth yn enw'r nefoedd sy'n bod arnat ti?" Swniai Marc yn wirioneddol ddig, a dychrynodd Aneira. "Gall fod angen cymorth meddygol ar Mr Wyn," ychwanegodd yn dawelach. "Fe gawn ni drafod yfory."

"Ni?" gofynnodd Aneira. "Dyw e ddim o'n busnes ni."

Tynhaodd gwefusau Marc, a rhythodd ar ei ddarpar wraig â llygaid llym. "Mae arno fe angen help, fel y dylset ti wybod. Fe weithiest ti bwl mewn seiciatreg, fel finnau."

"Does 'da fi ddim diddordeb mewn seiciatreg."

"Na finnau chwaith, ond mae 'da fi ddiddordeb mewn pobl." Gwasgodd Luned yn ysgafn i'w chysuro, yna gollyngodd hi, ac arwain Aneira i fyny'r grisiau a golwg sarrug ar ei wyneb.

Buasai'n anhygoel o garedig ac yn llawn cydymdeimlad. O'r diwedd, dechreuodd y dagrau y cawsai Luned y fath drafferth i'w rheoli cyhyd, lifo i lawr ei gruddiau. Aeth i'r briws, a oedd yn wag, er mawr ryddhad iddi, a suddo i'w hoff gadair.

Fore trannoeth, daeth Marc i lawr i frecwast ar ei ben ei hun. Roedd braidd yn dawedog, ond pan oedd ar fin cychwyn allan galwodd ar Luned ato a gofyn iddi'n ddistaw a difrifol, ''Ydych chi'n adnabod eich meddyg teulu'n lled dda? Dylsech chi gael sgwrs 'da fe am eich tad. A cheisio darbwyllo'ch tad i fynd i'w weld.''

O sylwi ar yr amheuaeth ar ei hwyneb, ychwanegodd yn ddiamynedd fod angen brysio, yn ei farn ef. ''Greden i na fyddai gŵr fel eich tad byth yn lladrata oni bai ei fod e bron â mynd yn orffwyll.''

Safent ger y drws ffrynt agored, a disgleiriai'r haul i mewn i'r tŷ. Roedd yn ddiwrnod hyfryd, ond teimlai Luned ei chalon yn drom. ''Mi wna i fy ngorau, Marc. A... diolch am fod mor garedig.''

Oedodd Marc am eiliad cyn cychwyn.

''Rwy'n gobeithio na fyddwch chi'n rhy llawdrwm ar Aneira. Does 'da hi ddim profiad o beth fel hyn, na llawer o ddychymyg chwaith.''

''Beth 'wedest ti amdana i?''

Edrychodd y ddau i fyny, a gweld Aneira'n sefyll ar ben y grisiau mewn cafftan sidan glas. Anwybyddodd Marc ei chwestiwn.

''Rwyt ti'n edrych yn hynod ddeniadol, cariad! Mae'n flin 'da fi frecwasta cyn i ti godi, ond mae clinic 'da fi am naw.''

Cerddodd Aneira i lawr y grisiau mor osgeiddig â model.

''Fe gysges i'n ddiweddar, ond roeddwn i'n meddwl y byddwn i'n dy ddala di ond i fi beidio â gwisgo.'' Plygodd tuag at Marc a'i gusanu ar ei foch — prin yr oedd raid iddi ymestyn o gwbl gan ei bod mor dal. ''Gwela i di amser cinio, cariad.''

''O'r gorau! Os bydda i mas, aros yn y swyddfa. Mae rhai problemau 'da fi i'w datrys.''

Wedi iddo ymadael, crwydrodd Aneira i'r gegin fwyta.

"Coffi a grawnffrwyth, os gwelwch yn dda. 'Na'r cyfan."

Cyhoeddid y newyddion wyth o'r gloch ar y radio fel y dychwelai Luned gyda'r hambwrdd. Nid oedd yr ymwelwyr eraill wedi codi.

"Mae Marc yn dweud y dylwn i ymddiheuro i chi," meddai Aneira, a'i llygaid gleision mawr yn serennu ar Luned. "Doedd dim pwt o gydymdeimlad 'da fi, medde fe."

"Popeth yn iawn," murmurodd Luned, gan hiraethu am gael dianc.

"Gawn ni anghofio, 'te? Dim teimladau cas?"

"Wrth gwrs," er y byddai'n anodd anghofio rhai o'i geiriau. Roedd meddwl mai tosturi tuag atynt a barodd i Marc aros yn ei chythruddo'n ddrwg.

"Beth 'wedodd Marc amdana i?" gofynnodd Aneira. "Cyn i fi ddod lawr?"

"Dim byd mawr. Dim ond nad oeddech chi ddim wedi — arfer rhyw lawer â helyntion fel yr un ddigwyddodd neithiwr."

Syllodd Aneira arni am eiliad, yna chwarddodd. "Perffaith wir! Does neb yn 'y nheulu i'n gorfod dwgyd diod pobl eraill!"

Ymledodd gwrid dicllon dros wyneb Luned.

"Fasai Marc byth yn dweud peth fel 'na!"

"Dyn yw Marc," meddai Aneira'n arwyddocaol. "Mae e wedi cwympo am yr act fach argyhoeddiadol 'na sy 'da chi — y lodes fach ddewr."

Nid oedd ymhonni'n rhan o natur Luned, a dirmygai bobl ragrithiol. Brifodd geiriau Aneira hi i'r byw, a heb os dyna'u bwriad.

"Pam rydach chi'n casáu cymaint arna i, Dr Morgan?" gofynnodd yn dawel.

"Dw i ddim yn eich casáu chi, 'merch annwyl i, na'ch hoffi chi chwaith. Dw i ddim yn eich adnabod chi, mewn gwirionedd, ydw i?" Fel yr âi Luned drwy'r drws, galwodd ar ei hôl. "Bydd Marc yn talu fy nghostau i, felly gellwch chi roi'r cyfan ar ei fil e."

Oherwydd ei fod ar ddyletswydd, roedd Marc yn hwyr iawn yn dod adref o'r ysbyty. Edrychai'n groes a blinedig, ond mynnodd gael sgwrs â Luned am ei thad.

"Dewch lan i fy stafell i. Dw i ddim yn moyn i neb dorri ar ein traws ni," meddai. Yno, eisteddodd gyferbyn â hi. "Wel, y'ch chi wedi trefnu i fynd i weld y meddyg?" Ysgydwodd hi ei phen. "Pam?" cyfarthodd.

"Dydi Dad ddim yn cytuno fod arno fo angen help."

"Mae e'n ffŵl 'te," meddai Marc yn fyr. "Siarada i gydag e," a chychwynnodd godi ar ei draed.

"Na!" protestiodd Luned ac eisteddodd Marc yn ei ôl. "Mi sonia i wrtho fo fory. Mae Dad yn sensitif iawn, ac mae hwyl ddrwg braidd arnoch chi heno." Cuchiodd Marc, a brysiodd hithau i ychwanegu. "Peidiwch â meddwl 'mod i'n anniolchgar, ond rhywbeth i'r teulu ydi hyn, ac... ac..."

"Y'ch chi'n meddwl 'mod i'n busnesa?"

"Nac ydw, siŵr iawn. Ond rydych chi'n amlwg wedi cael llond eich bol yn eich gwaith. Dydi hi ddim yn deg eich tynnu chi i ganol yr helynt a chithau mor brysur."

"'Na beth 'wedodd Aneira," rhuodd Marc. "Wedes innau 'mod i yn ei chanol hi eisoes."

"Wnaeth hynny mo'i phlesio hi, reit siŵr." Geiriau annoeth: roedd hithau wedi blino hefyd.

Cododd Marc a chroesi ati, ei wyneb yn stormus a'i lygaid llwyd yn gul fel y syllai arni.

"Ydi'r sylw 'na yn golygu unrhyw beth arbennig?" gofynnodd mewn llais oeraidd.

Syllodd Luned yn ôl arno'n llawn ffwdan.

"Dim byd, dim ond nad ydi Aneira'n rhy fodlon eich bod chi'n ffrindiau efo fi... efo ni," cywirodd yn gyflym a chochi dan ei lygaid cadarn.

"Roeddech chi'n gywir y tro cynta," meddai'n sychlyd. "*Chi* yw'r un, Luned annwyl, nid eich teulu chi." Gwasgodd ei wefusau, yna ffrwydrodd, "Mae merched mor afresymol. Beth sydd raid i fi wneud i'w hargyhoeddi hi 'mod i'n ei charu hi? Er mwyn Duw, ry'n ni wedi dyweddïo! Ry'n ni'n priodi yn yr hydref." Gwthiodd ei ddwylo i'w bocedi a chamu at y ffenestr. A'i gefn tuag ati, ychwanegodd, "Mae hi'n afresymol ac yn hurt o feddiannol, ond er mwyn heddwch, 'falle y dylwn i symud i westy. Ry'ch chi *yn* deall, on'd y'ch chi?" Crynodd ei ysgwyddau llydain a syllodd i lawr i'r ardd.

Ysgytwodd ei eiriau Luned i'w seiliau. "Ond... does gan Aneira ddim lle i fod yn... genfigennus?" Ynganodd y gair yn betrus gydag awgrym o gwestiwn yn ei llais.

Troes Marc tuag ati'n ddicllon a'i dychryn gyda ffyrnigrwydd ei adwaith.

"Rwy wedi dweud hynny wrthi! Dduw mawr, rwy wedi dweud wrthi filoedd o weithiau! Mae'r cyfan yn hollol chwerthinllyd!" Chwifiodd ei ddwylo mewn dirmyg. "Am ryw reswm, mae hi wedi gwrthwynebu i fi aros 'ma o'r dechrau." Daeth yn ôl i'w gadair a rhwbio'i dalcen. "Cawson ni gythrel o gweryl cyn iddi adael," meddai'n lluddedig. "Dyw Aneira byth yn colli'i hunanfeddiant, fel arfer."

"Mi fydd raid i chi symud felly wrth gwrs," cytunodd Luned. "Mae'n ddrwg iawn gen i greu helynt rhyngoch chi."

Nid edrychodd arni.

"Gwell i ni siarad yfory. A chofiwch drafod 'da'ch tad."

Wrth iddi lithro'n dawel o'r ystafell, gwelodd Luned Marc yn taro braich ei gadair â'i ddwrn yn flin ac yn rhwystredig.

"Menywod," mwmiodd dan ei wynt.

PENNOD 6

"Be sydd, Luned?" gofynnodd Geraint fel y dôi ei chwaer i'r briws. Eisteddai eu tad yn ei gwman o flaen y teledu fel arfer. Edrychodd arni'n frysiog, yna troes ei ben draw.

"Marc sy'n gadael," meddai Luned yn ddifywyd. "Ddiwedd yr wythnos, mwy na thebyg."

"Pam?" gwaeddodd Siwan. "Roedd o'n bwriadu aros yma nes byddai'r tŷ'n barod."

"Fydd o ddim yn barod am wythnosau." Eisteddodd Luned, a phwyso yn erbyn cefn ei chadair gan gau ei llygaid. "Well gen i beidio sôn am y peth."

Hwyrach y newidiai Marc ei feddwl — darbwyllo Aneira i gallio a'i hargyhoeddi nad oedd angen iddi genfigennu. Roedd hynny, yn ei eiriau ef ei hun, yn "hollol chwerthinllyd", yn rhywbeth i'w ddirmygu'n llwyr. Ni fyddai Luned fyth yn neb iddo, ond geneth eithaf hoffus, a geneth druenus braidd, hefyd, yn ôl Aneira.

Ond torrai Luned ei chalon. Bellach, ac yntau ar fin ymadael, daethai i sylweddoli sut y teimlai tuag at Marc. Roedd yn ei garu, er y gwyddai nad oedd ganddi unrhyw obaith. Cyn hir, byddai Marc yn briod ac yn byw gydag Aneira yn y tŷ newydd. Pâr golygus a llwyddiannus: caffaeliad mawr i'r gymdeithas leol.

Am y tro cyntaf yn ei hoes, brathwyd Luned gan ddannedd miniog cenfigen. Rhwbiodd ei llygaid briw â'i dwylo a brwydro i geisio cadw'i phen.

"Dwyt ti ddim yn dda?" gofynnodd ei thad, gan godi o'i gwman a syllu'n bryderus ar ei ferch.

"Cur pen sydd gen i, Dad. 'Rydw i'n meddwl yr af i i 'ngwely."

Nid esgus mo'r cur. Llyncodd ddwy dabled i wella'i phen, ond roedd cwsg ymhell.

"Y'ch chi'n edrych wedi blino'n lân," sylwodd Marc amser brecwast fore trannoeth.

"Ydw braidd," cyfaddefodd Luned gan geisio swnio'n ddi-hid. "Ydych chi wedi penderfynu pa bryd byddwch chi'n gadael?"

Oedd raid iddo syllu arni mor daer?

"Dw i ddim wedi meddwl 'to," meddai'n gwta.

"Mi fyddwn i'n falch o gael gwybod. Fedrwn ni ddim fforddio dwy stafell wag."

"Fydda i ddim yn gadael heb rybudd," atebodd Marc yn flin.

"Tua diwedd yr wythnos? Bore Sadwrn hwyrach? Mi fedrwn wneud y llofftydd yn barod ar gyfer rhywun arall erbyn bore Llun."

"Awyddus iawn i gael gwared â fi, on'd y'ch chi?" ceisiodd gellwair, ond gallai Luned weld ei fod wedi'i gythruddo. "Mae'r holl helbul mor dwp! Braidd na fyddwn i'n aros, ac i ddiawl â syniadau gwallgof Aneira."

"Dydw i ddim yn meddwl y byddai hynny'n ddoeth," meddai Luned yn gadarn. "Mi fyddai'n well gen i i chi fynd, Marc."

Dangosodd Marc yn amlwg ei fod wedi ei dramgwyddo. Dychwelodd y dieithryn cwta a gyraeddasai yno yn y dechrau. O leiaf, felly y tybiai Luned. Parhaodd yn ddigon clên gyda gweddill y teulu. Bwriadai ymadael brynhawn dydd Sul.

Cadwodd Luned o'i olwg cystal ag y gallai, ond tra oedd hi'n brysur yn hel pys fore Sul, daeth yntau allan i'r ardd gyda Siwan a Geraint. Chwifiodd Geraint ei gamera.

"Tynnu lluniau, Lun. Marc a ninnau i gyd efo'n gilydd."

"Rydw i'n rhy brysur, Geraint. Tynnwch nhw hebddo i."

"O, tyrd yn dy flaen, Luned," gwaeddodd Siwan. "Paid â bod yn hen wlanen! Mae Dad, hyd yn oed, yn dod."

"Rydw i'n rhy flêr," protestiodd Luned gan edrych ar ei hen jîns a'i blows ddiolwg.

"On'd y'ch chi'n lodes falch!" Geiriau cyntaf Marc, a'r rheini'n watwarus a gelyniaethus. "Dim ond ychydig luniau i gofio — dim angen gwneud eich hunan yn bert."

Felly, ymgasglodd pawb o flaen drws y ffrynt, gyda Luned a'i thad ar y fainc, a Siwan a Geraint yn sefyll y tu ôl iddynt. Yna daeth Marc i'r llun a chymerodd Geraint y camera.

"Mi fasai'n well petaech chi i gyd yn sefyll. Closiwch at eich gilydd. Dwyt ti ddim yn y llun, Luned."

"Ydi hi mewn 'nawr?" gofynnodd Marc, a rhoi ei fraich am ei hysgwyddau i'w thynnu i'r llun. Tynhaodd ei chorff o dan ei gyffyrddiad, peidiodd ag anadlu am eiliad, yna rhoes ochenaid hir. Gafaelai Marc yn dynn amdani tra ffwdanai Geraint gyda'r camera.

"Tyrd yn dy flaen, Ger. Fedra i ddim gwenu fawr mwy!" meddai Siwan.

"Mae rhai'n ffaelu gwenu o gwbl," cwynodd Marc dan edrych dan ei aeliau ar Luned.

"Byddwch lonydd!" bloeddiodd Geraint. "Edrychwch y ffordd yma!" Cliciodd y camera droeon cyn iddynt ymwahanu.

"Gobeithio y dôn nhw allan yn iawn," sylwodd Siwan. "Biti'ch bod chi'n mynd."

"Rydych chi yn aros i ginio, on'd ydych?"
gofynnodd Geraint, ac amneidiodd Marc dan edrych
ar wyneb prudd Luned.

"Os gwelwch yn dda."

"O, go dda. Pa bryd bydd o'n barod, Lun? Rydw
i ar lwgu."

"Wel ddylet ti mo fy rhwystro i 'te," sylwodd
Luned, a dychwelyd i'r ardd lysiau. Eiliad neu
ddau'n ddiweddarach, ymunodd Marc â hi. "Mi
fedra i wneud fy hun yn iawn," meddai'n styfnig
wrth iddo ddechrau hel y pys. Gollyngodd yntau hwy
i'r fasged.

"Ydych chi'n moyn i fi fynd cyn cinio?"
gofynnodd yn swta, a neidiodd y gwrid i'w bochau.

"Nac ydw, siŵr iawn. Mi fyddai Siwan a Geraint
yn siomedig ofnadwy."

"A chithau, Luned? 'Falle byddech chi'n falch?"

Safent yn glòs wrth ei gilydd, a gwrychyn yn eu
cuddio o olwg y tŷ. Syllodd Luned ar grys Marc, ei
goler ar agor i ddatguddio'r lliw haul ar ei wddf.
Brifai ei chorff gan gariad, a hiraethai am gael estyn
ei llaw i gyffwrdd â'i groen llyfn. Tywynnai haul
canol dydd yn danbaid. Teimlai'n benysgafn, a
gwyddai mor hawdd y gallai golli pob rheolaeth arni
ei hun.

"Pam ar y ddaear y dylwn i fod yn falch, Marc?"
Camodd yn ôl oddi wrtho ac edrych i'w wyneb yn
herfeiddiol.

Nesaodd Marc tuag ati, ei wefusau'n dynn a'i
lygaid yn galed.

"O, Dduw mawr, sut y gwn i," meddai'n ffyrnig.
"Dw i wedi rhoi'r gorau i geisio deall meddwl pob
benyw."

"Wel, beth am hyn 'ta?" awgrymodd Luned a'i
llais yn codi. "Dydw i ddim yn hoffi ensyniadau

Aneira, ac mae'n gas gen i agwedd nawddogol. Roeddwn i'n ddigon gwirion i feddwl mai oherwydd eich bod chi'n hapus yma roeddech chi'n aros; nid oherwydd eich bod chi'n tosturio wrthan ni.''

Syllodd arni'n hollol ddiddeall.

"Am beth y'ch chi'n sôn?'' Gafaelodd yn ei garddwrn. "Dewch 'mlaen, Luned, beth y'ch chi'n feddwl?''

Pan welodd ei llygaid yn llenwi, rhegodd yn dawel wrtho'i hun a'i gollwng. Troes Luned ei chefn arno a cheisio hel ychwaneg o bys yn drwsgl drwy ei dagrau.

"Er mwyn i chi wybod,'' meddai Marc yn dawel, dan sefyll yn glòs y tu ôl iddi, "ry'ch chi'n camgymryd yn ddirfawr. Roeddwn i *yn* hapus 'ma, a dyna pam arhoses i. Bydd chwith 'da fi ar eich ôl chi i gyd; hyd yn oed chi, Luned fach gas!''

Bu cinio'n llai o straen nag a ofnai Luned. Ymbrysurodd gyda'r bwyd drwy'r adeg felly ni fu raid iddi sgwrsio rhyw lawer.

Wedi gorffen bwyta, pwysodd Marc yn erbyn cefn ei gadair a meddai, "Ry'ch chi wedi fy sbwylo i 'da'ch coginio, Luned, ond mae'r Bedol yn eitha da hefyd, medden nhw. Bydd rhaid i bawb ohonoch chi ddod draw 'na am bryd o fwyd 'da fi rhyw benwythnos.''

Yn ddiweddarach, aeth pawb i'w ddanfon allan at y car. Cyn mynd i mewn iddo, ysgydwodd Marc law â Mr Wyn a dweud yn ddistaw, "Dylech chi gael gair o'r ysbyty unrhyw ddydd 'nawr.'' Yna gwên i bawb ac i ffwrdd ag ef.

Syllodd Luned ar gefn y car gan geisio cadw'i phen. Ymestynnai oriau maith o'i blaen cyn y câi ddianc i seintwar ei llofft.

"Be' oedd o'n feddwl, Dad? Gair o'r ysbyty?''

gofynnodd Geraint.

Daeth mymryn o wrid i wyneb gwelw'i dad. "I weld meddyg, 'ngwas i." Gadawodd i'r ddau ifanc fynd o'i flaen a cherddodd wrth ochr Luned. "O f'achos i gadawodd o, 'ntê? Oherwydd be' wnes i'r noson honno?"

Dyna'r tro cyntaf iddo grybwyll helynt y wisgi.

"Nage, Dad, dim o'r fath beth," atebodd Luned yn drist. "Ei gariad e fynnodd iddo fo fynd."

Eisteddodd Mr Wyn yn drwsgl ar y fainc ger drws y ffrynt.

"Hen drwyn o ddynes. Fyddai dy fam ddim wedi cymryd ati."

Ymunodd Luned ag ef. "Wyddwn i ddim eich bod chi wedi mynd i weld y doctor."

Daeth cysgod gwên i'w wyneb. "Marc aeth â fi bore ddoe — mi ddaliodd ata i nes imi gytuno. Pethau ddim yn rhy ddrwg chwaith."

"Marc aeth â chi?" Pam na soniodd wrthi, tybed? Yna, sylweddolodd na fuasai fawr o Gymraeg rhyngddynt ers dyddiau. Roedd yn garedig dros ben, yn mynd i'r fath drafferth, yn enwedig â hi ei hun wedi anghofio'n llwyr. "Pwy welwch chi yn yr ysbyty?"

"Yr uwch seiciatrydd," cyfaddefodd ei thad yn annifyr. "Mae sôn ei fod o'n dda iawn efo — efo problemau yfed." Osgôdd edrych i'w llygaid. "Mae Marc wedi bod yn hynod o glên ynglŷn â'r holl helbul. O, wel, mae'n dda gen i glywed nad o f'achos i mae o'n 'madael."

Wedi ymadawiad Marc, treuliodd Luned lawer gormod o'i hamser yn meddwl amdano, er iddi ymdrechu'n galed i beidio. Yna, un dydd, wrth siopa yn y dre, digwyddodd daro arno yn y banc. Neidiodd ei chalon i'w gwddf. 86

Ysgrifennu siec wrth y cownter yr oedd Marc. Brysiodd Luned heibio iddo i ben draw'r banc gan obeithio nad oedd wedi sylwi arni, a syllodd yn ddall ar boster, tra disgwyliai ei thro. Wrth gadw'i phapurau pumpunt yn ei bag, taflodd gipolwg sydyn ar hyd y cownter, ac er mawr ryddhad iddi, gwelodd ei fod wedi mynd. Daeth hithau allan o oerni braf y banc i oleuni'r haul, gan gau ei llygaid rhag y tanbeidrwydd. Cyffyrddodd rhywun â'i braich. Arhosai Marc amdani ger y drws. Cymerodd arni synnu.

"Wel, helô! Pwy fasai'n disgwyl eich cyfarfod chi?"

"Gwelsoch chi fi mewn 'na," meddai'n sychlyd, "er i chi esgus peidio. Garen i gael gwybod beth dw i wedi'i wneud i chi. Dy'ch chi ddim yn fy meio i am ymddygiad Aneira?"

Ni allai yn ei byw ymddwyn yn naturiol. Aethai pythefnos heibio heb iddi ei weld, a threuliasai bob awr effro ohonynt ymron yn meddwl amdano.

Edrychodd Marc ar ei wats. "Rwy'n rhydd hyd hanner dydd," meddai. "Dewch i gael coffi gyda fi."

"Dydi hi ddim yn credu..."

"Ond rwy *i*'n credu." Gafaelodd yn ei braich a'i harwain yn sicr ar hyd y palmant. Marc, meddyliodd Luned, mor benderfynol ag erioed. Gwenodd er ei gwaethaf. Gwenodd yntau'n ôl arni, ac ysgubwyd ei hamheuon o'r neilltu ar y don o hapusrwydd pur a ddaeth drosti o gael bod yn ei gwmni unwaith eto.

Daethant o hyd i fwyty tawel mewn stryd gefn. Yno astudiodd Marc hi'n feirniadol.

"Dy'ch chi ddim yn edrych yn dda. Gweithio'n rhy galed, mae'n debyg."

Wedi iddo holi tipyn am y teulu, daeth distawrwydd drostynt. Yna gofynnodd Luned,

"Ydych chi wedi... trefnu dyddiad y briodas eto?"

Nid atebodd hi'n syth. Trodd ei goffi â'i lwy, a gwgodd ychydig. "Mae Aneira'n moyn aros am beth. Wedi cael cynnig swydd ymgynghorydd dros dro yn ei hysbyty bresennol. Am dri mis o leiaf, 'falle am chwech."

"Oes siawns iddi beidio derbyn y gwaith?"

"Ry'ch chi'n 'nabod Aneira," meddai'n drist. "Dewis y llwybr fydd yn hyrwyddo'i gyrfa bob amser, yn arbennig a'i theulu y tu cefn iddi." Crechwenodd. "Allwch chi ddim disgwyl i Aneira annwyl droi cyfle fel hyn heibio," meddai mewn llais gwichlyd mursennaidd, a throes amryw o bobl i syllu arno.

Chwarddodd Luned, ac yntau gyda hi, er nad oedd lawer o hiwmor yn ei chwerthin ef.

"Ydi mam Aneira'n siarad fel 'na o ddifri?" gofynnodd hi.

"Gwaeth," meddai'n brudd. "Maen nhw'n dweud os y'ch chi'n moyn gwybod sut un fydd merch yn hanner cant oed, edrychwch ar ei mam hi."

Doedd o ddim yn swnio'n rhyw gariadus iawn, meddyliodd Luned. Ond os oedd Aneira'n codi crecs, dyna egluro'r caledwch ynddo y sylwodd hi arno'n syth.

"O Marc, mae'n ddrwg gen i." Nid oedd yn rhagrithio: fe'i carai, felly roedd ei hapusrwydd ef yn bwysig iddi. "Hwyrach y bydd iddi newid ei meddwl."

"Aneira? Na, byth."

"Ond mi fydd ganddi hi fwy o amser rhydd fel ymgynghorydd nag sydd ganddi'n gofrestrydd?"

"O, bydd, ond rwy wedi diflasu rhuthro lan a lawr i Lundain byth a hefyd."

"Mi faswn i'n meddwl," meddai Luned yn ofalus,

"y byddai arni hi eisio dod i fyny yma." Ceisiodd roi trefn ar ei syniadau. "Marc, os... os ydi hi'n tueddu i genfigennu wrth ferched eraill, fedra i mo'i deall hi'n cadw draw."

"Dyw hi ddim yn eiddigeddus fel arfer," meddai Marc. "Mae hi'n gwybod nad oes dim achos 'da hi."

"Ond..."

"Ond 'da chi, roedd pethau'n wahanol." Teimlodd Luned ei hwyneb yn gwrido'n fflamgoch a chuddiodd ei bochau â'i dwylo. Syllodd Marc yn gadarn arni. "Ta beth, dyw hi ddim yn meddwl eich bod chi'n fygythiad 'nawr, gan nad wyf i ddim yn byw o dan yr un to â chi."

Roedd rhyw olwg anghynnes ar ei wyneb, rhyw fath o ddifyrrwch coeglyd a barodd i Luned deimlo'n annifyr.

"Fasai hi ddim yn fodlon petai hi'n gwybod ein bod ni'n cael paned efo'n gilydd," meddai'n anhapus.

Trawodd Marc y bwrdd â'i law, a'i wyneb yn dynn gan lid.

"Rwy'n mynd i gwrdd â phwy bynnag ddiawl rwy'n moyn!" Pan welodd olwg frawychus yn ei llygaid, tynerodd ei wyneb a phlygodd tuag ati gan ddweud yn dawel, "Mae'n flin 'da fi, Luned. Dw i ar binnau braidd ar hyn o bryd." Edrychodd ar ei wats, a dweud yn edifar y carai aros yn hwy, ond fod ganddo glaf i'w weld am hanner dydd.

Ar y palmant y tu allan i'r gwesty, gafaelodd yn ei llaw a'i gwasgu'n gadarn.

"Rwy'n falch i fi gwrdd â chi, a dw i ddim wedi anghofio'r gwahoddiad hwnnw i ginio chwaith. Rwy'n rhydd nos Fercher. Beth am ddod draw i weld y tŷ?"

"Pawb ohonon ni?"

"Nage, chi'ch hunan. Garwn i gael cyngor 'da chi ynglŷn ag un neu ddau o bethau."

"Fedr Aneira ddim penderfynu?" holodd.

"Fydd hi ddim lân am wythnos neu ddwy," meddai'n gwta. "Dewch, plîs. Mae 'da chi ddawn arbennig i wneud tŷ'n ddeniadol."

Er y gwyddai na châi lawer o gysur o ymweld â darpar gartref Aneira, cytunodd Luned a gwahodd Marc i swper ym Mhen Bryn cyn mynd yno. O ganlyniad, penderfynodd y teulu i gyd, gan gynnwys ei thad, ymweld â thŷ Marc. Syrthiodd Luned mewn cariad â'r lle ar yr olwg gyntaf, a rhyfeddodd at hirymdroi Aneira. Roedd y tŷ yn hyfryd o gymesur, braidd yn flêr, efallai, ond heb yr un arwydd o damprwydd. Dringai rhosod coch a gwyn a melyn dros ei furiau cerrig. Gerllaw iddo safai'r stablau a chlwstwr o gytiau, a thu draw iddynt hwy ymestynnai'r llain lle câi'r ceffylau bori. Roedd taclau'r adeiladwyr ym mhobman, yn ysgolion, sachau sment a thuniau paent.

"Mae o'n hardd fel y mae o," meddai Luned gan sefyll ar ganol llawr y parlwr, a edrychai allan dros y gwelyau rhosod. "Gobeithio na wnewch chi ddim moderneiddio gormod arno fo — difetha'i gymeriad o."

"Dim os caf i fy ffordd," meddai Marc yn bendant. "Rwy'n falch eich bod chi'n ei hoffi fe."

"Ei hoffi o? Mae o'n fendigedig! Dyma'r unig dŷ erioed i mi ei hoffi'n well na'n tŷ ni!"

Gwenodd yn wan arni. "Gresyn na fyddai Aneira mor frwdfrydig â chi."

Syllodd arno. "Mae arni hi eisio byw yma, debyg? Wnaethoch chi mo'i pherswadio hi i brynu hen dŷ yn erbyn ei hewyllys?"

"O, mae hi'n eitha hoff o'r lle," atebodd, "ond

dyw hi ddim yn fodlon rhoi llawer o'i hamser iddo fe.''

Taranai Siwan a Geraint drwy'r llofftydd a sŵn eu traed yn fyddarol hyd y lloriau pren, ac aethai Mr Wyn i archwilio'r stablau. A hwythau ar eu pennau eu hunain i lawr y grisiau, teimlai Luned yn ymwybodol iawn o agosrwydd Marc.

"Beth am fynd i weld yr ardd?'' gofynnodd yn llon a chychwyn am y drws.

"Nes 'mla'n. Dy'ch chi ddim wedi gweld lan staer 'to.''

"Well gen i weld yr ardd, cyn iddi dywyllu.''

Agorodd y drws, a'i gwynt i'w glywed yn fyrrach nag arfer. Ymestynnodd Marc heibio iddi a'i gau.

"Bydd hi'n olau am oesoedd 'to. Awn ni lan 'nawr.''

Dringai'r grisiau'n araf ar dro, gyda ffenestri uchel uwch ei ben. Gallai Luned ddychmygu gweld ffiolaid o rosynnau ar y sil. Arhosodd i edmygu'r olygfa, ond aeth Marc ymlaen i agor drws un o'r llofftydd, ystafell eang, hardd.

A dyma ble bydden nhw'n cysgu ar ôl priodi; a chyn priodi, fwy na thebyg. Roedd Aneira wedi gwneud ati i amlygu'r ffaith eu bod eisoes yn gariadon. Wiw iddi hi Luned ddod yma eto. Byth bythoedd! Roedd meddwl am Marc ac Aneira'n caru yn y llofft brydferth hon yn ei rhwygo'n ddarnau.

"Mae hi'n... ddeniadol dros ben,'' meddai'n gloff, a cherdded allan. Dilynodd Marc hi'n araf i agor drws llofft arall. Yn ddiweddarach, fel y cerddent i lawr y grisiau cerrig tua'r ardd rosod, holodd hi am ei thad.

"Mi welodd y seiciatrydd y bore 'ma. Rydw i'n

amau iddo fo'i hoffi o'n iawn, ond wnaiff o ddim dweud rhyw lawer.''

"Fydd e'n mynd i mewn i'r ysbyty?"

"Na fydd, dydw i ddim yn meddwl. Fedrwch chi ddim gweld mymryn o welliant ynddo fo'n barod, ar ôl bod yno unwaith?''

Gwenodd Marc i lawr i'w llygaid difrif.

"Galla'n wir. Hwyrach fod y meddyg teulu wedi ei helpu fe hefyd. Ai dyna pam ych chi'ch hunan yn edrych yn hapusach, tybed? Neu oherwydd 'mod i wedi mynd?" Rhoddodd ei chalon naid fach ryfedd, a syllodd i fyny arno'n gegrwth, heb wybod sut i'w ateb.

"Jôc fach," meddai'n wantan, gan afael yn ei braich a'i harwain i gyfeiriad y lawnt fawr. "Roeddech chi'n eitha awyddus i gael gwared â fi," atgoffodd. "A dweud y gwir, fe ofynsoch i fi fynd."

Tir peryglus; rhaid oedd camu'n ofalus.

"Dim ond oherwydd 'mod i wedi 'laru," eglurodd Luned. "Ond nid arnoch chi," ychwanegodd yn frysiog.

"Ar Aneira 'te?"

"Wel..." Ni fynnai ei frifo ac yntau'n caru Aneira.

Gwenodd Marc arni braidd yn lletchwith, yna eisteddodd ar fainc garreg mewn bwlch yn y gwrych.

"Rwy'n gwybod mor uffernol y gall Aneira fod." Rhythodd Luned arno'n hurt ac ychwanegodd yntau, "Mae wedi'i sbwylio, mae'n 'styfnig, mae'n hen drwyn, ac mae'n wastad yn brifo teimladau pobl.''

"Ac eto, rydych chi mewn cariad efo hi!" Am beth twp i'w ddweud! "Hynny ydi," brysiodd i eguro, "mae'n rhaid fod ganddi hi lawer o ragoriaethau, neu fyddech chi byth yn ei charu hi. Fyddech chi?" gorffennodd yn isel.

"Gawn ni 'weud 'mod i'n ei charu hi er gwaetha'i

beiau?'' cywirodd Marc dan led-wenu. ''A chan fod
'da finne rai hefyd...'' Edrychodd arni a dechreuodd
y ddau chwerthin. ''Gan fod 'da fi gyfran helaeth o
feiau fy hunan,'' gorffennodd dan wenu'n llydan,
''rwy'n weddol oddefgar 'da'i rhai hi. Wedi'r cyfan,
rwy'n hen gynefin â nhw. Gawson ni'n magu 'da'n
gilydd fwy neu lai. Gan fod ein tadau ni'n gyfeillion,
bydden ni'n gweld ein gilydd yn aml, yn Llundain
ac yng Ngheredigion. Mae Llys Arwel o fewn tafliad
carreg i hen gartre 'nhad, ble bydden ni'n treulio'n
gwyliau. Fi fyddai'n mynd â hi i farchogaeth pan
oedd hi'n ferch fach, cusanu'i briwiau hi pan fyddai
hi'n disgyn oddi ar gefn y ceffyl! Ond fyddai 'ny
ddim yn digwydd yn aml, wrth gwrs!''

Sylweddolodd Luned mai siarad ag ef ei hun yr
oedd mewn gwirionedd. Plygai ymlaen dan bwyso'i
benelinoedd ar ei bengliniau a phlethu'i ddwylo dan
ei ên, ac astudiodd hithau ei wyneb cryf. Roedd wedi
torri ei wallt tywyll yn fyrrach na'r rhelyw, ond
gweddai iddo. Roedd yn ddyn anghyffredin o
ddeniadol: rhaid fod Aneira'n wallgof!

''Mae yma gryn dipyn o waith ar y tŷ eto,'' meddai.
''Fydd o'n barod erbyn y dyddiad addawson nhw?''

Tynnodd Marc wyneb hir. ''Maen nhw'n dod o hyd
i rywbeth arall i'w wneud o hyd, ond rwy wedi blino
ar fyw mewn gwesty. Rwy'n dod yma i aros ar y
cyntaf o Orffennaf, parod neu beidio. Galla i
ddefnyddio rhyw ddwy ystafell.''

''Mi fydd hynny'n ddigon i chi ar eich pen eich
hun.''

''Bydd Aneira'n dod lan ar benwythnosau,''
atgoffodd. ''Garen i pe bai hi'n cyfaddawdu tamaid
bach,'' ychwanegodd yn drist.

''Rydych chi'n ei cholli hi'n ofnadwy, on'd ydych,
Marc?'' gofynnodd Luned yn dawel. Ochneidiodd
yntau'n ddwfn.

"Ydw. A dw i ddim yn edrych 'mlaen at y gaeaf ar fy mhen fy hunan fan hyn. Dw i ddim yn fachan sy'n gwneud ffrindiau'n hawdd."

"Mae gennych chi ffrindiau, Marc," a phan syllodd arni ychwanegodd yn swil, "o leiaf, rydw i'n gobeithio'ch bod chi'n ein cyfri ni'n ffrindiau."

Gwenodd arni'n gynnes.

"Ry'ch chi'n ferch annwyl, Luned. Mor barod i wrando." Tristaodd y wên. "Ry'ch chi'n wastod yn peri i ddyn 'weud ei fola berfedd. Dw i ddim yn arfer blino pobl 'da 'mhroblemau."

"Blino? Blino dim arna i, wir rŵan." Chwythodd awel ysgafn flewyn o'i gwallt dros ei hwyneb. Plygodd Marc tuag ati a'i godi'n ôl, gweithred fach ddibwys a ddangosai ychydig o anwyldeb tuag ati, neu ddiolchgarwch, hyd yn oed, am iddi adael iddo fwrw'i fol. Teimlai'n ymwybodol iawn o'u hunigedd, ar eu pennau eu hunain yn y gornel dawel hon o'r ardd. Ar ochr bellaf y lawnt tyfai bedwen arian, a thu draw iddi ymestynnai'r caeau. Hedodd mwyalchen yn isel o'u blaenau dan ganu ei chân hwyrol fel cloch o glir.

Buasai Luned wrth ei bodd yn eistedd yno drwy'r nos gyda Marc, a gwrando arno'n trafod ei helbulon yn yr hedd a'r harddwch, ond gwyddai nad doeth hynny. Os gwerthfawrogai heddwch meddwl, rhaid fyddai iddi beidio â chrwydro drwy'r ardd gydag ef eto.

"Well i ni fynd?" awgrymodd. "Mae'n siŵr fod y lleill yn methu deall ble'r aethon ni."

PENNOD 7

Wythnos i ddydd Sadwrn, cynhelid garddwest yn
Ysbyty Menai. Byddai Luned yn ymgymryd ag un
o'r stondinau bob blwyddyn. Roedd wrth ei bodd
gyda'r gwaith, ac eleni efallai y câi bleser ychwanegol
o gyfarfod Marc.

Gwerthu ar y stondin gacennau yr oedd, gyda Mrs
Gruffydd, hen ffrind i'w mam. Ffwdanai Mrs
Gruffydd yn ailosod y cacennau ar flaen y stondin,
gan chwifio'i llaw fach dew i geisio cadw'r pryfed
draw.

"On'd ydi pobol yn wirion na roddan nhw rywbeth
drostyn nhw? Mae yma bentwr o rai blasus yr olwg
'leni hefyd, del. Mi ddylen wneud dipyn go lew o
arian."

Dynesodd Huw Williams tua'r stondin, a chydag
ef y meddyg tŷ a bartnerai Luned yn y parti dro'n
ôl. Ni allai Luned yn ei byw gofio'i enw.

"Cacen siocled i mi os gwelwch yn dda," meddai
ei chyn-bartner.

"Saith deg ceiniog, Dr....?"

"Huws. Alun Huws." Roedd ganddo wên hyfryd.
"Beth am ddod am damaid o hon ar ôl i chi orffen?"
Syllodd arni'n edmygus, a'i lygaid yn oedi ar ei
choesau brown llyfn a'i gwallt hir a sgleiniai'n un
rhaeadr o gwmpas ei hwyneb. Cynhesodd Luned
tuag ato a gwenodd yn ôl.

"Diolch yn fawr. Mi ddo i."

"Mi'ch gwela i chi yn y cantîn," meddai Alun.

"On'd ydych chi'r petha ifanc 'ma'n ddidaro?"
sylwodd Mrs Gruffydd. "Am ffordd i 'neud points!"

"Points, Mrs Gruffydd?" chwarddodd Luned.

"Go brin. Dim ond paned o de a thamaid o gacen!"

Pwniodd Mrs Gruffydd hi. "Dydi hynny ond megis dechra', del! Mi'i gwelais i o'n llygadu!"

Tywynnai haul y prynhawn mor danbaid nes toddi'r eising ar y cacennau ymron, a cheisiodd Luned dynnu'r gysgodlen yn is rhag y gwres. Safai'n simsan ar gadair yn plycio'r cortyn pan glywodd lais cyfarwydd y tu ôl iddi.

"Dy'ch chi ddim yn edrych yn rhyw ddiogel iawn lan fan 'na. Gadewch i fi wneud e." Marc! Troes tuag ato'n eiddgar a'i hwyneb yn goleuo. Yn sydyn llithrodd ei throed, a buasai wedi syrthio oni bai iddo ef ei dal.

"Mae'n ddrwg gen i," llefodd, tra gafaelai yntau ynddi nes iddi ddod ati ei hun. "Ga i werthu teisen i chi, Marc?"

Symudodd Marc ei ddwylo; gresynodd hithau!

"Ry'n ni'n moyn cacen on'd y'n ni, Aneira?"

Gan fod Luned wedi ymgolli yn ei heilun, ni welsai'r ferch. Edrychodd ar Aneira braidd yn betrusgar gan obeithio nad oedd wedi sylwi ar y llawenydd a ddaethai drosti o weld Marc. Ni ddangosai wyneb Aneira unrhyw emosiwn.

"Fe gymerwn ni hon'na." Pwyntiodd tuag at gacen goffi. Siaradodd â Mrs Gruffydd, gan anwybyddu Luned yn llwyr.

Ymbrysurai Marc gyda'r gysgodlen, heb deimlo'r tyndra, yn ôl pob golwg.

"Gymri di'r pres, Luned? Rydw i wedi drysu'n lân yn fan 'ma efo'r newid." Diflannodd Mrs Gruffydd i'r cefn yn ffwdanus.

"Wedi dod i fyny dros y Sul rydych chi, Dr Morgan?" gofynnodd Luned.

Amneidiodd y ferch arall. "Ie, dim ond am heddi a 'fory. Trueni'n bod ni'n gorfod gwastraffu'r

prynhawn yn y fan hyn. Brysia, cariad, er mwyn i
ni ddianc. Rwyt ti wedi gwneud dy ddyletswydd, er
mwyn y nefoedd." Cipiodd y gacen o law Luned.

Rhoes Marc y gysgodlen yn ei lle a throi at ei gariad
braidd yn flin. "Rwy eisoes wedi egluro, Aneira. Rwy
wedi addo bod ar gael yn lle Ap Fychan hyd bump
o'r gloch, felly alla i ddim rhedeg bant yn glou."

"Pam heddi?" cwynodd Aneira.

"Oherwydd taw Ap Fychan sy'n 'bennu'r ffair 'da
araith," atebodd Marc. "Rwy eisoes wedi dweud
wrthot ti, ond wrandewaist ti ddim." Er iddo geisio
lliniaru ei eiriau drwy wenu, prin y llwyddodd.
Gwenodd Aneira yn ôl arno yr un mor finiog wrth
iddynt ymadael.

Roedd y te eisoes wedi'i hwylio pan gyrhaeddodd
Luned ystafell fwyta'r meddygon preswyl. Eisteddai
Huw ac Alun yn un pen i'r bwrdd mawr, a Marc ac
Aneira yn y pen arall. Siaradai'r ddau, wedi ymgolli
yn eu sgwrs, pan gerddodd Luned heibio cefnau eu
cadeiriau i ymuno â'r ddau ddyn ieuanc.

"Ble mae Ceri?" gofynnodd.

"Efo rhywun sydd newydd ddod i mewn i'r
ysbyty," meddai Huw. "Fydd hi ddim yn hir."

Aethai cryn bythefnos heibio er pan fuasai Ceri
adref ddiwethaf, a'r tro hwnnw gwrthododd â thrafod
materion personol, er iddi grybwyll enw Huw o dro
i dro, er mawr lawenydd i Luned. Yn awr,
awgrymodd Huw y gallent fynd allan yn bedwar ryw
noson, Ceri gydag ef, a Luned gydag Alun. Oedodd
Luned, rhag ofn iddi lusgo Alun allan yn erbyn ei
ewyllys.

"Fyddai ddim yn well gen ti gael Ceri i ti dy hun?"
gofynnodd i Huw.

"Dydw i ddim yn meddwl fod ar Ceri f'eisio i iddi

hi ei hun! Tyrd yn dy flaen, Luned, mae Alun yn
fan 'ma bron â marw eisio i ti gytuno.''

Gwridodd Alun, ac ategu geiriau Huw. Roedd yn
annwyl, meddyliodd Luned. Teimlai fel mam iddo,
er ei fod cyn hyned â hithau, os nad hŷn.

Toc, ymunodd Ceri â hwy. Taflodd gipolwg
guchiog tuag at Aneira, a throi o bwrpas rhag gorfod
edrych arni hi a Marc. Penderfynodd Luned fod
golwg lawer gwell ar ei chwaer.

Tafellwyd y gacen siocled.

''Gymrwch chi damaid, syr?'' gofynnodd Huw i
Marc. Diolchodd yntau dan wenu, a dod atynt i ben
arall y bwrdd. Ar y pryd, roedd Alun yn traethu'n
frwdfrydig wrth Luned y buasai wedi gwneud nyrs
ardderchog.

''Ar fy ngwir! Mi fasai'r cleifion yn d'addoli di.
Mae gen ti wyneb mor ffeind.''

O dipyn i beth teimlai Luned yn edifar iddi gytuno
i fynd allan gydag ef. Fodd bynnag, roedd wedi addo
mynd, ac ni allai dynnu'n ôl heb ei frifo. O ganlyniad,
y nos Fercher wedyn, ymunodd Luned ag Alun yn
sedd ôl car Huw.

''Rydyn ni'n mynd i'r Gloch,'' meddai Huw.
''Ewythr i Alun sy'n ei gadw fo, ac ar ôl i ni fwyta
mi gawn fenthyg ei gwch o i fynd am dro ar yr afon.''

Mwynhaodd Luned y pryd yn well nag y
disgwyliai. Ar ôl gwydraid neu ddau o win cryfhaodd
hyder Alun, a phan fentrwyd ar yr afon gwelsant yn
amlwg nad dyma'r tro cyntaf iddo drin cwch hwylio.

Eisteddodd Luned yn y tu ôl a thynnu ei llaw
drwy'r dŵr, yn falch o'r cyfle i ymlacio'n ddiog am
unwaith. Cyn hir, wrth iddynt ddynesu tua'r lan,
gwelsant wal gerrig isel, gyda grisiau ynddi. Pwysai
cwpwl ar y wal, dan syllu i'r dŵr. Nefoedd! Marc
ac Aneira! Chwifiodd Marc ei law arnynt.

"Hylô 'na," gwaeddodd. "O ble'r y'ch chi wedi dod 'te?"

"O'r Gloch," atebodd Huw, a llywio tua'r lan.

"Ry'ch chi'n edrych yn dwym," meddai Marc. "Gymrwch chi ddiod?"

Gwrthododd Luned yn syth.

"Diolch yn fawr, Marc, ond does arnom ni ddim eisio ymyrryd..."

"Nonsens," meddai Marc yn gyflym, a dod i lawr y grisiau i helpu Ceri o'r cwch. Luned oedd y nesaf, ac wrth i'w law gau am ei llaw hi i'w sadio, teimlodd y cynnwrf cyfarwydd a ddôi drosti bob tro y byddai Marc yn ei hymyl. Fel y cyrhaeddai ben y grisiau daeth wyneb yn wyneb ag Aneira.

"Helô, Dr Morgan," meddai'n lletchwith. "Mae'n wir ddrwg gen i... aflonyddu arnoch chi."

Gwenodd Aneira'n surbwch arni, yna cerddodd pawb i fyny'r llain tua'r ardd.

"Man hyn bydd y ceffyle'n pori," meddai Aneira.

Rhwng y llain a'r ardd safai llidiart.

"Doeddwn i ddim wedi sylweddoli fod yr afon yn union y tu ôl i'r gwrych acw," sylwodd Luned, ac ymatebodd Aneira'n llym.

"Ry'ch chi wedi bod yma o'r blaen 'te?"

Brathodd Luned ei gwefus — pam bu raid iddi agor ei cheg fawr?

"Mi ddaeth pawb ohonon ni yma ryw noson. Marc eisio dangos y tŷ i ni. Mae gennych chi gartra hyfryd," ychwanegodd, i geisio cael gwared â chuwch y ferch arall.

"Ydych chi i fyny 'ma er· y Sul, Dr Morgan?" gofynnodd Huw.

Ysgydwodd Aneira'i phen. "Na, rwy'n rhydd heddi a fory, felly des i lan yr eildro."

"Ffordd go bell i'w theithio ddwywaith mor agos i'w gilydd."

"Ydi, ond mae'n werth y drafferth," meddai Aneira'n dawel, ac ailymuno â Marc. "Mae'r arholiadau drosodd ac mae mwy o amser 'da fi 'nawr."

"A diolch byth am 'ny," murmurodd Marc a rhoi ei fraich amdani. "Fe wnaeth hi'n wych, wrth gwrs, fel arfer."

Gwenodd y ddau ar ei gilydd, dau berson disglair, uchelgeisiol, a'u llwybr yn glir o'u blaenau. Mor wahanol i Luned, a deimlai'n israddol iawn yn eu cwmni. O na bai wedi gorffen ei chwrs yn y Coleg Cerdd, meddyliodd yn drist. Pe bai ganddi ryw gymaint o gymwysterau ni theimlai mor annigonol.

Aethant i'r tŷ drwy'r gegin wydr.

"Ry'ch chi damed bach yn anniben," sylwodd Aneira o weld gwallt Luned. "Ydych chi'n moyn tacluso? Dewch gyda fi."

Croesodd y cyntedd llydan ac agor drws yr ystafell ymolchi. Diolchodd Luned am gael dianc am funud o olwg elyniaethus y ferch. Cribodd ei gwallt, a syllu'n feirniadol ar ei hwyneb yn y drych. Yna golchodd ei dwylo ac agor y drws ond cafodd siom o weld Aneira'n ei disgwyl.

"Gyda llaw, Miss Wyn," wynebodd Aneira hi'n gadarn. "Rwy wedi bwriadu cael gair â chi ers tro."

"Am beth?" gofynnodd Luned, er y gwyddai'r ateb cyn gofyn.

"Dw i ddim yn moyn bod yn gas, 'merch i," — roedd llais Aneira fel mêl — "ond byddwch chi'n sicr o wneud ffŵl ohonoch eich hunan os ewch chi 'mla'n fel hyn." Syllodd Luned arni heb yngan gair. "A 'tha p'un," ychwanegodd Aneira'n fwyn, "mae e mor lletchwith i Marc. Felly cedwch bant o'i ffordd e, 'na lodes dda."

Tipiodd y cloc yr eiliadau yn y distawrwydd, a thra

syllai'r ddwy ar ei gilydd cynyddodd cynddaredd Luned.

"Ydach chi'n meiddio awgrymu 'mod i'n... ceisio dwyn Marc oddi arnoch chi?"

"Nag ydw. Mae Marc wedi ymgolli cymaint yn ei waith ac yn y tŷ hyn, dyw e ddim yn gweld beth sy'n mynd 'mla'n dan ei drwyn e."

"Does dim byd yn "mynd 'mla'n"," gwatwarodd Luned hi'n gynddeiriog. "Ac os nad ydi o wedi sylwi ar ddim, pam honni ei fod o'n teimlo'n lletchwith?"

Un iddi hi, meddyliodd, ond dirmygodd Aneira'i safbwynt. "Bydd e'n sicr o sylweddoli cyn hir, os y'ch chi'n mynnu gwthio'ch hunan arno fe."

"Gwthio fy hun? Ofynnais i ddim am gael dod yma'r noson o'r blaen. Syniad Marc oedd o. A heno... heno, digwydd dod heibio ddaru ni."

"A dydd Sadwrn, yn y ffair?"

"Wel yn enw pob rheswm! Mi fydda i'n helpu yno bob blwyddyn."

"Nid hynny oedd gyda fi mewn golwg. 'Falle na sylwodd Marc ddim sut roeddech chi'n edrych arno fe, ond fe sylwes i. Ry'ch chi mewn cariad 'da fe, a does dim pwrpas i chi wadu. Ac os nad y'ch chi'n gadael llonydd iddo fe, bydda i'n dweud wrtho fe. 'Nelech chi ddim hoffi 'ny, 'nawr, 'nelech chi? Byddai cywilydd mawr 'da chi, siŵr o fod?"

Troes Aneira'n gyflym a chroesi'r cyntedd yn ôl, ac ychydig eiliadau'n ddiweddarach dilynodd Luned hi, ei hwyneb yn goch a'i chalon yn curo'n annifyr. Roedd Marc wrthi'n rhannu diodydd, a siaradai a chwarddai pawb yn swnllyd, felly ni sylwodd neb ar ei thrallod. Eisteddodd i lawr a cheisio'i hadfeddiannu ei hun, er ei bod yn berwi o feddyliau chwerw ac eiddigedd gorffwyll. Pan dawelodd y sgwrs, awgrymodd ei bod yn bryd iddynt gychwyn yn eu holau.

"Beth yw'r brys?" gofynnodd Marc yn ddymunol, ond eisoes codasai Aneira ar ei thraed.

"Ry'n ni'n eitha blinedig, on'd y'n ni, cariad? Wedi gweithio llawer yn yr ardd heddi." Wrth fynd allan, gafaelodd yn gadarn yn ei fraich i ddangos yn eglur mai ei heiddo hi ydoedd.

Tra gwthiai Huw y cwch o'r lan ymdrechai Luned i goncro'i phoen a'i phryder. Nid oedd Aneira wedi sôn yr un gair wrth Marc hyd yn hyn, ond beth pe bai'n ailfeddwl? Gallai Luned ddychmygu'r dirmyg a'r difyrrwch yn ei llais wrth iddi luchio rhyw sylw di-hid tuag ato. "Rwyt ti'n gwybod fod 'da hi "crush" arnat ti, cariad?" Rhywbeth felly, neu efallai eiriau mwy brathog fyth: "Mae hi wedi rhedeg ar dy ôl di o'r dechrau, a mae hi'n berffaith ddiegwyddor."

Ond a fyddai Marc yn ei chredu? A'r ffantasïau hyn yn llethu cymaint arni, pur dawedog fu Luned yn ystod y daith adref, a phrin y sylweddolodd ar ôl cyrraedd fod Ceri wedi aros yn y car gyda Huw tra'r hebryngai Alun hi at y drws.

"Wyt ti'n gwneud rhywbeth nos Sadwrn?" gofynnodd dan wenu'n swil arni. O'i gweld yn oedi, ychwanegodd yn frysiog, "Rydw i'n rhydd dros y penwythnos. Mi wn i sut mae hi arnat ti, wrth gwrs, mi glywais gan Ceri. Ond siawns nad wyt ti'n cael rhywfaint o amser i ti dy hun. Plîs, Luned!"

Dyna braf oedd gweld fod ar rywun ei heisiau! Byddai'n ei rhwystro rhag hel meddyliau am Marc.

"Mi fedrwn orffen erbyn hanner awr wedi saith," meddai'n araf.

"Gwych!" llefodd Alun, gan gusanu ei boch yn ysgafn. Yna rhuthrodd ymaith dan weiddi dros ei ysgwydd, "Mi ddo i i dy nôl di," ac agorodd Luned y drws gan wenu. Roedd ei ansicrwydd fel chwa o awel iach.

Nos Wener, ffoniodd Alun i ymddiheuro'n ddigalon i Luned am na allai gadw'u hoed. Un o'i gyd-weithwyr wedi torri ei goes wrth ddringo.

"Rhaid i mi weithio'n ei le fo. Does 'na neb arall." Swniai'n isel iawn ei ysbryd. "A finnau'n edrych ymlaen cymaint at dy weld di, Luned. 'Sgwn i... na, wrth gwrs, faset ti ddim eisio..." Tawodd yn drist.

"Eisio be', Alun?" gofynnodd Luned.

"Wel... fedret ti ddim diodde dod i'r ysbyty am awr neu ddwy, debyg?" ymbiliodd.

Ni wnâi ond eistedd o flaen y teledu pe bai'n aros gartref, meddyliodd Luned. Byddai'n plesio Alun drwy fynd, ac nid oedd fawr o bergyl iddi daro ar Marc gyda'r nos, hyd yn oed ac yntau'n gweithio dros y Sul.

"O'r gorau," meddai. "Mi fydda i yna tuag wyth. Mi gaf fws yr adeg honno."

Ysgubodd anniddigrwydd drwyddi o'i glywed yn croesawu ei hateb gyda'r fath arddeliad. Ni fynnai i Alun syrthio mewn cariad â hi. Ni wnâi hynny ond peri tristwch iddo ef a chwithdod iddi hithau. On'd oedd perthynas pobl â'i gilydd yn gymhleth? Cymaint haws fyddai iddi pe gallai garu Alun yn lle Marc! Fodd bynnag, am Marc y meddyliai wrth orwedd yn ei gwely. Marc, gyda'i lygaid effro a'i ffordd swta. Marc, nad oedd, yn ôl pob golwg, wedi sylwi fod dim o'i le pan ddychwelasai hi ac Aneira i'r parlwr nos Fercher, ond a'i daliodd yn ôl am eiliad cyn iddi ddringo i'r cwch.

"Ry'ch chi'n edrych yn flinedig, Luned. Neu'n bryderus. Oes rhywbeth yn bod?"

Roedd hithau wedi gwenu ac ysgwyd ei phen, tynnu ei braich o'i afael, a neidio i'r cwch mor afrosgo nes peri iddo siglo'n afreolus.

Dywedasai Aneira fod Marc wedi ymgolli gormod yn ei bethau ei hun i sylwi ar helbulon neb arall. A barnu'n ôl y tro bach yna, roedd hi'n methu'n ddybryd.

PENNOD 8

Disgynnodd Luned o'r bws a cherdded i gyfeiriad cartref y meddygon preswyl. Fel y croesai'r maes parcio, cafodd fraw o weld Marc yn cloi ei gar. Rhuthrodd ymlaen gan obeithio gallu ei osgoi.

"Hei, Luned, beth yw'r brys?"

Arhosodd yn gyndyn, a brasgamodd Marc ati dan wenu.

"Beth ddaeth â chi fan hyn?"

"Edrych am... ffrind." Caeodd ei dyrnau'n dynn, a'u cuddio y tu ôl i'w chefn. A oedd Aneira wedi gollwng y gath o'r cwd? Os oedd, a fyddai ef wedi cymryd unrhyw sylw ohoni hi, Luned? Na fyddai siŵr. Ymlaciodd ychydig, a chychwyn cerdded ar hyd y llwybr tuag at dŷ'r meddygon, a Marc wrth ei hochr yn sgwrsio braidd yn ddiamcan. Popeth yn iawn, meddyliodd gyda rhyddhad. Roedd Aneira wedi cau ei cheg. Byddai Alun yn aros amdani yn yr ystafell gyffredin.

"Fan hyn ry'ch chi'n mynd?" gofynnodd Marc, a'i dilyn i'r ystafell.

Gorweddai Alun ar y soffa'n darllen papur newydd. Neidiodd ar ei draed, yn amlwg yn ei ogoniant.

"Mi ddest! Roedd arna i ofn i ti ailfeddwl."

"Pam gwnawn i hynny?" gofynnodd Luned, yn ymwybodol iawn fod Marc gerllaw. Syllai ef ar wyneb gwridog ac awyddus Alun.

"Tyrd i fy stafell i," awgrymodd Alun. "Mae gen i recordiau y byddi di'n siŵr o'u hoffi. Von Karajan." Creai ei ddiddordeb mewn cerddoriaeth glasurol gyswllt rhyngddynt, a chytunodd Luned yn eiddgar, i ddianc oddi wrth Marc.

Wedi iddynt wrando ar y recordiau am gryn ddwyawr cafodd Alun alwad i'r wardiau, a chrwydrodd Luned i lawr y grisiau i'r ystafell gyffredin gan obeithio cael hyd i Ceri yno. Ond dywedodd rhywun wrthi fod ei chwaer wedi mynd allan gyda Huw. Newydd da, meddyliodd Luned.

Arhosodd yn yr ystafell gyffredin am ryw hanner awr rhag gorfod mynd adref heb ffarwelio ag Alun. Roedd yn dal i ddisgwyl amdano pan gyrhaeddodd Marc. Erbyn hyn, nid oedd neb yno ond Luned a chododd Marc ei aeliau.

"Yma o hyd? Ry'ch chi wedi cwympo'n galed."

"A be' mae hynna'n ei feddwl?" gofynnodd hithau'n flin.

"Tin-droi i aros y crwtyn. Rhaid eich bod chi wedi dwli arno fe."

"Peidiwch â bod mor wirion!" cyfarthodd Luned yn ôl. "Ffrindiau ydyn ni, dim mwy. Teimlo fel cael cwmni heno. Mi ddywedsoch eich hun y dylwn i fynd allan yn amlach."

"Gwir," cytunodd, "ond allen i feddwl y celech chi rywun damaid bach mwy cynhyrfus nag Alun, druan bach. Rwy'n siŵr na wnaeth e ddim treial eich cusanu chi, hyd yn oed, lan lofft."

Digon gwir, a diolchai Luned am hynny. Ond yn awr, yn wyneb pryfocio Marc, carai allu gwadu ei honiad. Tra ceisiai ffurfio ateb brathog i'w biwsio, dychwelodd Alun gan ymddiheuro am ei gadael cyhyd.

"Fedri di ddim aros am dipyn?" gofynnodd. Ond pan eglurodd Luned fod y bws olaf yn mynd heibio ymhen deng munud, aeth i'w hebrwng at y ffordd. Yno, safodd am eiliad gan edrych arni, yna dododd ei ddwylo ar ei hysgwyddau a phlannu cusan frysiog a thrwsgl ar ei gwefusau.

"Nos da, Luned. Diolch i ti am ddod."

Fore Llun, ffoniodd Ceri. "Mae'n ddrwg gen i i mi dy golli di'r noson o'r blaen. Mi aeth Huw â fi i weld drama." Yna eglurodd fod ysgrifennydd yr ysbyty yn holi a oedd gan Luned ystafelloedd i'w gosod. "Mae yna gofrestrydd uwch yn dod yma dros dro yr wythnos nesa; boi o Batagonia, cofia! Mi ofynnodd am un o fflatiau'r ysbyty, ond does 'na'r un ar gael, felly roedd Mr Pritchard yn meddwl 'falla gwnâi'n tŷ ni y tro."

"Calondid mawr!" meddai Luned.

"Cytuno. Mae 'na ddigon o lefydd eraill, mewn gwirionedd, ond fod Marc wedi dweud wrtho fo mor gysurus roedd o acw, ac mae'r ddwy lofft yna yn fflat bron iawn. O, a Luned!" meddai'n swil cyn ffarwelio, "roeddet ti'n iawn ynglŷn â Huw. Mae o'n annwyl!"

Ceri'n callio, a hithau'n ffoli. Eironig iawn, meddyliodd Luned.

Cyrhaeddodd Dr Parri yn gynnar y bore Llun canlynol, i gael cip bach sydyn, meddai, ond arhosodd am hydoedd yn sgwrsio gyda Luned dros gwpanaid o goffi. Roedd golwg Archentaidd arno, yn dywyll a golygus, ac yn hynod o hoffus. Teimlai Luned yn falch ei fod yn fodlon ar ei ystafelloedd.

Symudodd ei bethau yno y noson honno, ac erbyn trannoeth galwai bawb ond Mr Wyn wrth eu henwau bedydd. Gwirionodd Siwan amdano'n syth, wedi'i chyfareddu gan yr acen.

"On'd ydi o'n anfarwol o ddel?" meddai. "Ac mae o'n gleniach na Marc hyd yn oed!"

"Powld ddeudwn i ydi o!" gwgodd Geraint.

"Wel r-rydw i'n meddwl ei fod o'n gr-rêt," meddai Siwan dan rowlio pob 'r' a thorri ei geiriau'n fyr.

"Olé!" dirmygodd Geraint. "Oes raid i ti fod mor wirion, y mwnci mul? Ianci oedd hi'r wythnos diwetha pan oedd y ddau 'na o Philadelphia yn yr "apartment". "Apartment" ddiawch!"

Gyda phobl o gymaint o wahanol wledydd yn dod yno i aros, troesai cadw gwesty'n hwyl er gwaethaf y gwaith, a gwyddai Luned iddi benderfynu'n ddoeth. Ei hunig ofid oedd na allai anghofio Marc; meddyliai amdano'n dragwyddol ar yr adegau mwyaf anghyfleus.

Un dydd, ar hanner gêm o dennis ar gwrt yr ysbyty, canfu ei hun yn dychmygu mai Marc oedd ei phartner, yn hytrach na Juan Parri.

"Cadw dy feddwl ar y gêm, eneth," bloeddiodd Juan wrth i'r bêl hwylio heibio iddi'n braf.

"Mae'n ddrwg gen i," gwenodd Luned yn euog. "Well i ti chwilio am bartner arall, Juan."

Rhoddodd ei law ar ei hysgwydd, a fflachiai ei ddannedd gwynion yn ddisglair oherwydd y lliw haul tywyll ar ei groen.

"Dydw i ddim eisio partner arall. Rydw i d'eisio di."

"Sawl ystyr oedd i'r geiriau yna?" meddyliodd Luned. Tynnodd Juan ei law ar hyd ei braich noeth, a'i lygaid tywyll yn syllu arni'n danbaid ac awyddus.

"Rhowch y gorau i gyboli a dowch yn eich blaenau," cyhuddodd y nyrs a chwaraeai yn eu herbyn gyda'i phartner, a min ar ei llais.

"Gwenwyn am fod dy goesau di'n fwy siapus na'i rhai hi, *chiquita*," sibrydodd Juan.

Chwarddodd Luned. Dim rhyfedd i Alun ei rhybuddio mor daer fod Juan yn sgut am ferched. Ond ni allai hi lai na chael rhywfaint o gysur yn edmygedd y ddau ohonynt. Roedd arni ei angen!

Wrth iddynt ymlacio ar y glaswellt, ar ôl y gêm,

daeth criw o feddygon mewn cotiau gwynion i'w cyfeiriad. Marc oedd un ohonynt, yn cerdded yn gyflym fel arfer. Arafodd pan welodd Luned ac arhosodd gerllaw iddynt gan syllu ar ei bochau cochion a'i gwallt didrefn.

"Ry'ch chi'n edrych yn dwym, Luned. Wyddwn i ddim y gallech chi 'whare tennis."

"Fedra i ddim chwarae'n dda iawn," cyfaddefodd. "Mi gawson ein curo'n hawdd."

Ymdreiglodd Juan tuag ati a thynnu ei fys ar hyd un o'i choesau brown, deniadol. "Pan fydd geneth yn edrych cystal â hi mewn trowsus bach, does dim llawer o wahaniaeth sut gêm mae hi'n chwarae!"

Tynhaodd gwefusau Marc ac edrychodd yn hynod filain ar Juan. "Dylech chi ganolbwyntio ar y gêm, Parri. Efallai enillech chi wedyn."

"Cythraul trwynsur," sylwodd Juan, heb ymdrechu o gwbl i siarad yn isel. "Wyt ti'n ei 'nabod o'n dda, Luned?"

Eglurodd Luned sut y daethai i adnabod Marc a gwenodd Juan.

"Rydw i'n siŵr nad oedd o ddim mor hawdd ei drin â fi. Dwed y gwir, *chiquita* — fi ydi dy lojer gorau di!"

Blinodd y nyrs ar fân siarad Juan a dywedodd ei bod yn gweithio ar ôl te. Neidiodd y doctor arall ar ei draed, a chynigiodd Juan ei law i Luned a dal ei afael ynddi tra cerddent yn ôl i dŷ'r meddygon preswyl. Parhâi i'w hanwesu pan ddaethant i gyfarfod Marc a'i gyd-weithwyr ar eu ffordd yn ôl o'r adran batholeg. Yn hunanymwybodol, edrychodd Luned i bobman ond ar Marc, ac ymdrechodd i dynnu ei llaw o law Juan. Tynhaodd yntau ei afael a chwifio'i raced yn ffri. Ni allai Luned osgoi agosrwydd Marc ar y llwybr cul a gwridai wrth fynd heibio iddo.

Er nad edrychodd arno, medrai synhwyro'i anghymeradwyaeth. Ni fyddai hiwmor Juan yn apelio o gwbl at natur gysetlyd Marc, ac ni chymerai'r byd â pheri gofid i ferch yn gyhoeddus, fel y gwnaethai'r Archentwr.

Ychydig nosweithiau'n ddiweddarach, tra oedd Luned yn golchi'r llestri a Geraint yn trin radio dransistor wrth fwrdd y briws, clywsant guro ar ddrws y cefn a cherddodd Marc i'r tŷ. Cyfarchodd y ddau'n hynaws, a dweud ei fod yn bwriadu dod i edrych amdanynt ers tro.

Wedi sgwrsio am beth amser, cododd ar ei draed a chroesi'r ystafell i sefyll y tu ôl i Luned. Datododd ei ffedog.

"Y'ch chi wedi 'bennu'r llestri," meddai'n ddiamynedd. "Dewch 'mlan."

Troes hithau a'i chalon yn curo'n gyflym. Gwnaeth rhywbeth yn ymddygiad Marc hi'n ochelgar. Ni allai ei ddiffinio, ond synhwyrai fod rhyw bwrpas i'w ymweliad.

"Gymrwch chi goffi, Marc?" gofynnodd.

Ysgydwodd ei ben.

"Nes 'mlan. Dewch am dro i'r ardd 'da fi."

"Mi fyddai'n well gen i eistedd. Wedi... wedi blino braidd."

"Eisteddwn ni ar y fainc 'te." Gafaelodd yn ei braich a'i harwain tua'r drws. Ni fynnai hithau daeru o flaen Geraint felly gadawodd iddo fynd â hi i'r ardd. Cerddodd Marc yn gyflym i gyfeiriad y prysgwydd gan anwybyddu'r fainc o flaen y tŷ. Pan na allai neb eu gweld drwy'r ffenestri, troes i'w hwynebu.

"Ydi Parri'n aros yma'n hir?" gofynnodd yn gwta. O weld y syndod yn ei llygaid, holodd eto, "Ydi fe, Luned?"

"Does gen i ddim syniad. Mi fydd yma am rai wythnosau, mae'n siŵr. Deufis, hwyrach. Pam?"

Gwgodd Marc a thurio yn y pridd â'i sawdl.

"Mae'n anodd dweud hyn..."

"Wel, peidiwch 'ta." Gallai ddyfalu beth oedd i ddod.

"Mae enw drwg 'da Parri eisoes... 'da'r merched."

"Felly wir, Marc?" meddai hi'n hyderus. "Rydw i'n... synnu braidd eich bod chi'n teimlo angen fy rhybuddio i."

Gwthiodd ei ddwylo i'w bocedi a cherdded yma ac acw am dipyn cyn dychwelyd ati.

"Ry'ch chi'n credu taw busnesa ydw i. Na, does dim hawl 'da fi, ond rwy'n hoff iawn ohonoch chi oll. Chi oedd fy ffrindiau cynta i lan 'ma."

Cyffyrddwyd teimladau Luned gan ei eiriau, a chyfaddefodd mai gofal diffuant amdani a barodd iddo ymyrryd.

"Ond wir rŵan, Marc, does dim angen. Mi wn i sut foi ydi Juan, a chymrwn i byth mohono fo o ddifri."

"Popeth yn iawn 'te. Ond cofiwch beidio â'i annog e." Crwydrodd ei lygaid dros ei chorff main, siapus, a gorffwys am eiliad ar ei choesau. "Oes rhaid i chi wisgo'r dillad 'na?" gofynnodd yn flin.

Buasai'n ddiwrnod berwedig o boeth. Gwisgai Luned y dillad ysgafnaf a feddai, trowsus cwta denim a chrys isel heb lewys.

"Dydych chi erioed yn awgrymu 'mod i'n gwisgo fel hyn er mwyn Juan?"

"Mae e'n eich edmygu chi mewn trowsus byr, y'ch chi'n gwybod 'ny."

Syllodd arno, ar goll am ennyd, yna cofiodd sylw Juan ar y cwrt tennis. Gwridodd ychydig, a phwysleisio mai gwisgo i'w phlesio'i hun a wnâi.

111

"Roedd gen i awr i mi fy hun pnawn 'ma ac mi rois fy micini amdanaf. Oedd hynny'n beth... pryfoclyd i'w wneud?"

Chwarddodd Marc yn annisgwyl. "Mae'n dibynnu i ble'r aethoch chi i orwedd. A phwy oedd obeutu."

Chwarddodd hithau hefyd. "Roedd pawb allan. Dydw i ddim yn hollol wallgo, Marc."

"'Na fe te. Sut mae'ch tad 'nawr?"

"Yn gwella'n raddol. Mae o wedi mynd i'r Rhyl i aros efo Anti Mair, fo a Siwan."

"Dewch chi a Geraint draw 'da fi i nofio, te."

Oedodd Luned. "Fydd yno rywun arall?" gofynnodd. Aneira oedd y rhywun honno, wrth gwrs. Daeth cysgod gwên i wefusau Marc.

"Neb ond ni. Dewch 'mla'n, Luned."

Felly, aeth hithau heb wrthwynebu gormod: roedd meddwl am gael ymdrochi yn denu, a mwy na thebyg na ddôi Aneira byth i wybod.

Bu'r tri'n nofio yn y dŵr claear nes iddi dywyllu. Wedi newid i'w dillad, ymunodd Luned â Marc a Geraint yn y parlwr am sgwrs. Dôi'r tŷ ymlaen yn dda yn ôl Marc, ond roedd ar ei hôl hi yn yr ardd, a hoffai ei thacluso cyn y gaeaf. Cynigiodd Geraint roi help llaw iddo.

"Mae gen i ddigon o amser yn y gwyliau fel hyn. Mi fedrwn ddod yma ar fy meic."

"Dy'ch chi ddim yn mynd bant, te?" gofynnodd Marc.

"Mae Siwan a Dad wedi mynd at Anti Mair, ond mae'n well gen i aros adre." Mynnai Anti Mair ei drin fel hogyn bach, felly gwrthododd yn lân â mynd i aros ati eleni.

Ystyriodd Marc am funud, yna cytunodd y byddai Geraint o gymorth mawr iddo yn yr ardd.

"Ond rhaid i fi gael talu i chi." Cochodd Geraint

a mwmian na fydd wedi awgrymu ei gynorthwyo pe gwyddai hynny, ond torrodd Marc ar ei draws. "Rwy'n gwybod 'ny, bachan, ond rwy'n bendant. Pam na ddylech chi ennill arian poced? Ac fe gewch chi gyfuno gwaith a phleser, a nofio yn y pwll bryd mynnoch chi."

Roedd wedi troi un ar ddeg pan gyraeddasant adref. Fel yr âi'r car i mewn i'r buarth, gwelsant lampau car arall yn diffodd, a cherddodd Juan Parri o'r ysgubor. Cibodd i oleuadau car Marc, yna disgwyliodd i Luned ddod allan ohono. Cychwynnodd Marc yn ôl yn syth ac aeth Geraint o'u blaenau i'r tŷ.

"Nid car Ffransis oedd hwnna?" gofynnodd Juan.

"Ia."

"Gweld llawer arno fo ar hyn o bryd?"

"Rŵan ac yn y man." I mewn â'r ddau i'r gegin wag. "Mynd i ymdrochi yn ei bwll nofio fo wnaethon ni."

"Mi wyddost ei fod o wedi dyweddïo?"

"Gwn, siŵr iawn," meddai Luned yn flin; yna gwawriodd gwallgofrwydd y sefyllfa arni a dechreuodd rowlio chwerthin. Pan ddaeth ati ei hun, eglurodd iddo, "Chlywais i erioed y fath beth! Marc yn fy rhybuddio i amdanat ti, a thithau'n meddwl na ddylwn i ddim mynd allan efo dyn sydd wedi dyweddïo. Pwy fasai'n disgwyl i ti fod mor foesol?"

"Caru dy les di, *chiquita*." Cododd ar ei draed a dodi ei ddwylo ar ei hysgwyddau. "Mae cariad Ffransis yn gyrru dŵr oer i lawr fy nghefn i. Mi fedrai fod yn ffiaidd pe bai hi'n meddwl dy fod di'n prowla yn ei libart hi."

Gwingodd Luned o'i afael. "Mi wn i sut un ydi Aneira," meddai, "a go brin medrwn i browla â Geraint efo ni. Rydw i wedi blino, Juan. Mynd i glwydo."

"Am funud. Be' ddeudodd Marc amdana i?"

"Dy fod di'n dipyn o hen gi." Gwenodd Luned arno o ddiogelwch y drws. "A ga i ddeud rhywbeth wrthyt ti, Juan? Rydw i'n meddwl ei fod o'n iawn!"

Gellid dibynnu ar Geraint; pan wnâi addewid fe'i cadwai. Bob dydd bron, âi draw ar ei feic i dŷ Marc a'i ginio a'i drowsus nofio gydag ef. Un dydd rhoes wahoddiad i'w chwaer oddi wrth Marc i fynd yno drannoeth.

"Mi wyddost yn iawn na fedra i ddim cael diwrnod cyfa'n rhydd."

"Medri, siŵr. Mi ddwedaist ein bod ni am gael y penwythnos yma i ni'n hunain gan fod Juan yn mynd i Lundain."

Temtiwyd Luned yn fawr, ond teimlai mai annoeth fyddai iddi dderbyn. Gorau po leiaf a welai ar Marc.

"Mi rydd penwythnos heb ymwelwyr gyfle i mi ddal i fyny efo 'ngwaith," meddai'n bendant.

"Pryd byddi di'n cychwyn, Juan?" gofynnodd Luned wrth glirio'r llestri brecwast drannoeth.

Codasai Juan yn hwyr a llowcio tair cwpanaid o goffi du yn lle brecwast.

"Pan fydda i wedi dod ataf fy hun, *chiquita*. Mi gawson ni goblyn o barti neithiwr." Diogai'n osgeiddig a deniadol yn ei gadair. Ni allai Luned lai na'i hoffi, er ei gwaethaf.

"Fyddi di'n ôl o Lundain nos fory?" gofynnodd Luned.

"Bydda."

Eglurodd hithau mai ef oedd ei hunig ymwelydd ar y pryd.

"'Falla'r awn ni am dro i rywle ddydd Sul. Mi adawa i'r agoriad yn y garej rhag ofn i ti ddod adre o fy mlaen i."

114

Ystyriodd Juan hyn.

"Rwyt ti ar dy ben dy hun? Tyrd efo mi i Lundain."

"Mi ddaw Geraint adre fin nos."

"Mae'r hogyn yn ddigon hen i gysgu ei hun am un noson. Tyrd yn dy flaen, Luned."

Ni fuasai Luned yn Llundain ers blynyddoedd, a phe bai wedi ei gwahodd am y dydd cawsai ei themtio i dderbyn. Ond doedd hi ddim yn hollol wirion. Ni ddôi penwythnos gyda Juan â dim ond helynt yn ei sgîl. Felly gwrthododd dan wenu, a dangosai ei wên lydan yntau y deallai yn berffaith.

"O.K., *chiquita,*" meddai'n ddigynnwrf. "Beth am fynd i lan y môr heddiw 'ta?" Edrychodd allan drwy'r ffenestr agored ar yr haul yn crasu'r ardd. "Mi fyddai'n uffernol o boeth yn Llundain. Ble mae'r traeth gorau?"

Esgus rhag derbyn gwahoddiad Marc oedd y gwaith, ac ni fuasai Luned ar lan y môr ers yr haf cynt. Un da am berswadio oedd Juan. Awr yn ddiweddarach, safai Luned wrth y giât yn disgwyl iddo yrru ei gar o'r buarth. Fel y caeai'r giât ar ei ôl clywodd y ffôn yn canu yn y tŷ.

"Fydda i ddim eiliad," meddai.

"Gad iddo fo," gwaeddodd Juan. "Os ydi o'n bwysig mi ffonian eto," felly eisteddodd Luned wrth ei ochr.

Penderfynodd fynd ag ef i un o draethau Pen Llŷn, gan na chawsai gyfle i ymweld â'r ardal ers blynyddoedd.

Roedd y llanw allan pan gyrhaeddodd y ddau, felly cerddasant am gryn ddwy filltir i'r pen pellaf lle nad oedd llawer o bobl. Trochai Luned ei thraed yn y dŵr bas wrth gerdded, tra brasgamai Juan ar hyd y tywod gwlyb.

"Rwyt ti fel plentyn ar ddydd cynta'r gwyliau," sylwodd Juan. Gwenodd Luned arno. Roedd wrth ei bodd, meddai: gresyn na allent aros yn hwy.

"Pam lai? Rydyn ni'n siŵr o le i aros dros nos." Roedd ei lais yn ddidaro, ond ei lygaid yn awgrymog.

"Dim eisiau gadael Geraint ar ei ben ei hun."

"Rwyt ti'n difetha'r bachgen 'na. Pam na ffoni di Ffransis i ofyn iddo fo adael i Geraint aros yno efo fo?"

Gwenodd Luned. Byddai gan Marc rywbeth go finiog i'w ddweud pe bai'n datgelu ei rheswm dros ofyn iddo! Nid fod ganddo ef unrhyw hawl i benderfynu ym mhle yr arhosai, na chyda pwy. Roedd ei ymyrraeth tragwyddol yn ei gwylltio'n lân, ac yn creu penbleth iddi hefyd. Tueddai i'w thrin fel chwaer fach, a honno'n un anaeddfed. Pam gebyst na allai sylweddoli am unwaith ei bod yn ddynes! A pham gebyst hefyd, meddyliodd yn drist, na chawsai ddod yma gyda Marc yn hytrach na Juan? Roedd y diwrnod mor berffaith, gydag awel ysgafn yn chwythu o'r môr i dymheru gwres mis Awst a chwipio'r tonnau bas yn ewyn gwyn o gylch ei thraed. Fe ddangosai'r gilfach y tu draw i'r trwyn i Marc: roedd honno'n wag bob amser bron oherwydd fod raid dringo dros y creigiau i'w chyrraedd. Caent sgwrsio am bopeth dan haul, ei waith, ei dŷ, cerddoriaeth, garddio... Yna siaradodd Juan a deffro Luned o'i breuddwydio. Teimlai'n euog iawn oherwydd ei hanniolchgarwch.

Gyda Juan y daethai yma, a'i dyletswydd oedd ceisio bod yn gwmni da iddo. Felly gwenodd yn fwriadus a cherdded at ei ochr drwy'r dŵr. Rhoes yntau ei fraich amdani, a'i chadw yno nes cyrraedd lle delfrydol i fwyta'u cinio. Hafn yn y graig ydoedd, yn mesur rhyw ugain troedfedd o hyd, ac ni allai neb eu gweld ynddi oni bai eu bod yn sefyll yn union gyferbyn â'r porth i mewn iddi. Pan gusanodd Juan hi, safodd Luned yn llonydd heb godi ei breichiau. Ni fwriadai ei galonogi drwy ymateb yn rhy eiddgar: byddai gorfod cweryla am garu'n difetha'u diwrnod hyfryd.

Synhwyrodd Juan ei theimladau a'i gollwng dan wenu. "Digon o amser," murmurodd. "Beth am ymdrochi?"

Pan ddaethant i'r lan, taenodd Luned ei lliain ar y tywod y tu allan i'r hafn, a oedd bellach yn y cysgod.

"Mae'n gynhesach yn fan 'ma," sylwodd, ac ymunodd Juan â hi a'r wên hirymarhous honno ar ei wyneb eto.

Rhwbiodd Luned hylif haul dros ei breichiau a'i chorff, yna cymerodd Juan y botel oddi arni a tharo peth o'r hylif ar ei chefn. Crwydrodd ei ddwylo dros ei chroen, yn gynnes a charuaidd.

"Dyna ddigon," meddai Luned yn frysiog, dan anadlu'n gyflymach nag arfer. Symudodd oddi wrtho i eistedd ar y tywod poeth.

Disgleiriai llygaid Juan.

"O, rwyt ti'n ddigon normal, wedi'r cwbl. Roeddwn i'n dechrau amau!"

Ymlusgodd at ei hochr a'i gwthio i lawr. Bellach gorweddai'r ddau yn glòs wrth ei gilydd, a daliodd yntau ei law y tu ôl i'w phen rhag iddi geisio dianc. Pan gusanodd hi'r tro hwn teimlodd Luned ei hun yn ymateb, ei nwydau'n cynhyrfu gan fôr a haul ac agosrwydd corff dyn deniadol a phrofiadol. Crwydrai ei law arall dros ei chorff a dyfnhaodd ei gusanau. Dim ond ychydig o bobl a oedd o'u cwmpas, ond diolchai Luned amdanynt. Gallasai Juan fod yn anodd ei drin pe baent ar eu pennau eu hunain. Yn sydyn, dechreuodd deimlo'n swil.

"Juan... plîs!" Gwthiodd ef oddi wrthi a neidio ar ei thraed. "Mae yma bobol o gwmpas." Rhedodd yn ôl i'r môr.

"Tyrd yma!" gwaeddodd Juan. "Mae'n amser cinio." Ond arhosodd Luned yn y dŵr am gryn ddeng munud. Ai camgymeriad oedd dod yma gyda Juan? Doedd arni ddim eisiau treulio'r dydd cyfan yn cwffio gydag ef. Hwyrach mai gwell fyddai iddynt drafod y sefyllfa'n syth.

Cerddodd yn ôl yn araf i fyny'r traeth, i'w ganfod yn yfed cwrw o dun ac yn chwilota am ei ginio.

"Juan, mae'n ddrwg gen i os wyt ti yma efo fi dan gamargraff."

"Be' sy'n dy gorddi di, *chiquita?*" Cymerodd damaid o frechdan ŵy.

"Wel, 'falla dy fod di'n meddwl — wrth 'mod i wedi dod yma efo ti — nad oedd dim ots gen i..." Ni allai yn ei byw egluro.

Syllodd Juan arni'n wawdlyd a llond ei geg o'r frechdan ŵy. Gwridodd o dan ei drem brofiadol.

"Dydw i ddim yn un sy'n neidio i'r gwely efo pob dyn fydd yn mynd â fi allan. Mi fyddai'n dda gen ti petaet ti heb ddod yma efo fi rŵan, mae'n siŵr."

Llyncodd Juan ei frechdan a dal i syllu arni. "Ti biau dewis, cariad. Hwyrach y byddi di'n ailfeddwl." Neu hwyrach y medra i beri i ti ailfeddwl, awgrymai ei lygaid. "Tyrd i gael bwyd, neu fydd yma ddim ar ôl i ti."

Arhosodd y ddau ar y traeth nes i'r llanw ddod i mewn. Buasai'n ddiwrnod hyfryd. Ar eu ffordd adref galwodd y ddau mewn tafarndy hynafol am bryd. Sgwrsiai Juan yn ddifyr gan roi ei holl sylw iddi, ond ni cheisiodd glosio ati. Nid yfodd lawer chwaith ond mynnai lenwi gwydryn Luned drosodd a throsodd.

"Rydw i'n amau'n gry' dy fod di eisio i mi ei dal hi," meddai Luned dan led-gellwair, a gwenodd yntau a'i ddannedd yn fflachio.

"Does gen ti ddim llawer o feddwl ohono'i, nac oes? Rydw i'n ormod o lwynog i hynny."

Edrychai arni mewn ffordd a wnâi i'w chalon gyflymu. A allai merch gael ei denu gan ddyn nad oedd mewn gwirionedd yn ei hoffi? Wrth gwrs y gallai. Ond rhywbeth arwynebol oedd hyn, dim byd tebyg i'w theimladau tuag at Marc. Pe bai Marc wedi ei chusanu fel y gwnaethai Juan, ni allasai fyth ei rwystro. Ochneidiodd yn ddiarwybod, a gafaelodd Juan yn ei llaw.

"Mi fydda i'n amau weithiau nad wyt ti ddim efo fi. Beth sydd, Luned? Ble oedd dy feddwl di?"

Gwridodd a thynnu ei llaw o'i afael.

"Mae'n ddrwg gen i, Juan. Mi grwydrodd am funud."

"Mae o'n crwydro o hyd," meddai yntau'n sychlyd. "Dyn. Dyna sydd, yntê? Ydw i'n ei 'nabod o?"

Cochodd Luned ac edrych o'i chwmpas. Roeddent o'r golwg mewn cilfach a neb o fewn clyw. Trugarhaodd Juan wrthi.

"Paid â chynhyrfu, *chiquita*. A phaid â gollwng y gath o'r cwd, chwaith, os nad wyt ti'n fodlon," meddai'n ddidaro.

PENNOD 9

Cyraeddasant adref am hanner awr wedi deg, a chanfod Geraint yn eu disgwyl yn y briws. "Ble buost ti?" gofynnodd yn flin. "Mi ddeudaist fod gen ti lot o waith."

"Ailfeddwl," atebodd Luned, yn hapus — yn llawn o fwyd a gwin. "Mi aeth Juan â fi i Ben Llŷn. Bendigedig!"

Syllodd Geraint arni'n sychlyd. "Hyfryd iawn," mwmialodd. "Roedd Marc yn siomedig na ddest ti ddim."

Lled-orweddai Juan ar un o'r cadeiriau, ond pan glywodd eiriau Geraint eisteddodd i fyny'n syth a syllu ar Luned.

"Wnest ti ddim drysu trefniadau eraill i ddod efo fi?" gofynnodd.

Ysgydwodd Luned ei phen, dan wgu ar Geraint. "Naddo siŵr. Mi awgrymodd Marc i'r ddau ohonom ni fynd yno, ond..."

"Ond roedd well gen ti ddiwrnod efo fi," torrodd Juan ar ei thraws.

"Pen bach!" sibrydodd Geraint dan ei wynt.

"Ond roeddwn i wedi penderfynu aros adre," meddai Luned, yna sylweddolodd ei chamgymeriad.

"Nes i mi newid dy feddwl di drosot ti," meddai Juan yn fodlon. "Balch o glywed 'mod i'n cael y blaen ar Ffransis, *chiquita.*"

"O, paid â bod mor wirion!" cyfarthodd Luned, yna, o gofio iddo roi cystal diwrnod iddi, ychwanegodd, "Sorri, Juan. Gawn ni anghofio'r holl bwnc?"

"Wrth gwrs," cytunodd Juan. "Amser gwely, Ger bach?"

"Dim ond Siwan fydd yn galw Ger arna i," atebodd Geraint yn urddasol, dan hyll-dremio arno. "Pam nad ewch *chi* i'ch gwely? Mae arna i eisio siarad efo fy chwaer."

"Geraint! Rwyt ti'n anghwrtais iawn!" Bu agos i Luned â chwerthin o weld yr olwg ddoniol ar wyneb Juan. Cofiai ei eiriau awgrymog ar y ffordd o'r dafarn: "Gobeithio na fydd y brawd bach 'na sydd gen ti ddim ar ei draed pan gyrhaeddwn ni adre."

Yn siomedig yn awr, cododd ar ei draed.

"Chymra i ddim diod heno, Luned." Taflodd gipolwg anhrugarog ar Geraint.

"Gwynt teg ar ei ôl o," murmurodd Geraint. "Be' weli di ynddo fo, Lun? A pham ar y ddaear roedd well gen ti fynd allan efo fo na mynd i dŷ Marc?"

"Roedd hi mor boeth heddiw," meddai Luned i'w dawelu. "Glan y môr oedd y lle gorau."

"Mi fasai Marc wedi mynd â ti petaet ti wedi gofyn iddo fo. Mi ffoniodd yma pan gyrhaeddais i hebot ti, ac wedyn hefyd, wn i ddim sawl tro, yn ystod y dydd. Roedd o'n benderfynol nad oeddet ti ddim i aros yma ar dy ben dy hun yn slafio yn y tŷ."

"Caredig dros ben," meddai Luned yn gyflym. "Taw rŵan, Geraint. 'Does dim angen pregeth."

Fore trannoeth, dywedodd Geraint ei fod yn mynd i dŷ Marc unwaith eto. Teimlai Luned braidd yn bryderus ynglŷn ag aros yn y tŷ gyda Juan, felly penderfynodd fynd i hel eirin yn y berllan yng ngwaelod yr ardd. Gosododd y bwrdd ar gyfer ei frecwast yn y gegin fwyta, a gadael nodyn iddo cyn mynd allan. Nid oedd angen ei dendans ar Juan; edrychai ar ei ôl ei hun yn ddigon bodlon pan godai'n hwyr.

121

Ryw awr yn ddiweddarach ymddangosodd wrth droed y goeden eirin a gwenu i fyny arni. "Tyrd i lawr, Luned. Ni biau'r diwrnod ar ei hyd."

Ysgydwodd ei phen.

"Rhaid i mi weithio, Juan. Roedd ddoe yn hwyl, ond fedra i ddim diogi eto heddiw."

Pan sylweddolodd na allai ei darbwyllo, cododd ei ysgwyddau braidd yn ddig, a'i gadael dan ddweud yr âi i chwilio am gwmni yn yr ysbyty.

Rhwydd hynt iddo, meddyliodd Luned. Llanwodd ei basged ag eirin cochion, ei thynnu o'r fforch yn y goeden, a'i gollwng ei hun i'r llawr. Tywalltodd y ffrwythau'n ofalus i'r ferfa, ond wrth iddi ymbaratoi i ddringo i fyny'n ôl clywodd sŵn car yn troi i mewn i'r buarth.

Juan wedi anghofio rhywbeth tybed? A hithau ar fin mynd i edrych, gwelodd Marc yn dod heibio talcen y tŷ dan gamu'n fwriadus i'w chyfeiriad. Am un eiliad orfoleddus, meddyliodd mai dod i'w chyrchu yr oedd. Âi gydag ef o wirfodd calon heddiw, gan ei bod mor falch o'i weld. Ond pan gyrhaeddodd yn ddigon agos iddi allu gweld ei wyneb, gwyddai nad cynnig gwahoddiad oedd ei fwriad.

Roedd ei wefusau'n dynn a'i lygaid yn gulion, ac ymsythai fel y gwnâi bob amser pan fyddai wedi ei gythruddo. Safodd Luned ger y goeden a disgwyl iddo'i chyfarch, tra crwydrai Blodyn tuag ato gan ysgwyd ei chynffon yn frwd. Plygodd Marc i anwesu'r hen gi, yna cododd a syllu'n ddi-wên i wyneb Luned.

"Roeddwn i'n dechrau meddwl eich bod chi mas 'da Parri 'to. Ydi e 'ma?"

"Nac ydi. Mi aeth allan am y dydd."

"Heboch chi?" cyfarthodd. "'Na syndod!"

"Fel mae'n digwydd," meddai Luned, "mi ofynnodd i mi fynd efo fo, ond mae gen i waith i'w wneud."

Chwyrnodd Marc yn drahaus. "Dyna'ch esgus chi bob tro ry'ch chi'n moyn gwrthod gwahoddiad, ie fe? Beth yw'ch gêm chi, Luned? Chwarae cath a llygoden? Wnaiff hynny ddim llwyddo 'da dyn fel Parri."

"Dydw i ddim yn chwarae unrhyw gêm o gwbl," atebodd Luned, gan ymdrechu'n lew i'w rheoli ei hun. Diurddas fyddai iddi ddechrau taeru gyda Marc, a ph'run bynnag, ef a enillai bob ffrae. Cododd ei llaw i gydio mewn brigyn a dechrau dringo'r goeden.

"Dw i ddim wedi 'bennu 'da chi," meddai Marc yn sarrug, a gafael yn dynn yn ei ffêr.

"Gollyngwch fi," ysgyrnygodd Luned.

"Bydda i'n tynnu os bydd angen."

"O, o'r gorau 'ta." Yn wallgof wrtho ac yn goch gan ddicter, neidiodd i lawr i'w wynebu.

"Wn i ddim beth sy'n bod arnoch chi, Marc, ond rydych chi'n hollol ffiaidd. A busneslyd," ychwanegodd gan godi'i llais.

"Mae'n rhaid i rywun fusnesa," meddai'n dawel. "Ddwedes i wrthoch chi'r dydd o'r blaen sut foi yw Parri."

"Yn eich barn chi! Ofynnais i ddim amdani!"

"Fe wn i 'ny. Ond dw i ddim yn moyn i chi gael dolur. 'Rwy'n 'nabod Parri a'i fath. Crwydro o wlad i wlad, blwyddyn fan hyn, blwyddyn fan draw, llu o ferched ym mhob man, yna symud 'mlaen. Mae e'n ymffrostio am ei garwriaethau hefyd." Roedd diflastod amlwg ar wyneb Marc. "Y'ch chi'n moyn creu sôn amdanoch?"

Oedodd Luned; gwyddai mai dyna'r gwir.

"Wel?" gofynnodd yn galed, gan afael yn ei

hysgwyddau a'i hysgwyd yn ddiamynedd.

"Peidiwch," ebychodd Luned. "Gollyngwch, Marc! Nid plentyn ydw i, er eich bod chi'n fy nhrin i felly. Rydw i'n ddigon 'tebol i edrych ar ôl fy hun."

"Ydych chi 'nawr?" gofynnodd yn dawel. "'Wedodd Geraint i chi gael gormod i'w yfed neithiwr."

Marc mawr du yn erbyn ei brawd bach, meddyliodd Luned.

"Nonsens llwyr!"

Anwybyddodd ei phrotest. "Yr un hen dechneg ag arfer," meddai'n gas. "Ond 'falle'i fod e eisoes wedi cael yr hyn oedd e'n moyn?"

Yn ffyrnig, cododd Luned ei llaw i'w daro yn ei wyneb, ond daliodd ef ei garddwrn.

"Wel? Ydych chi wedi cysgu 'da fe?"

Yn ofer, ceisiodd Luned ymryddhau.

"Dim o'ch busnes chi."

"Ydych chi?"

"Wel, be' fedrwch chi ei ddisgwyl?" gofynnodd Luned yn watwarus. "Mi gawson ni le bach o olwg pawb ar y traeth." Gwenodd wrth gofio breichiau Juan amdani. "Mi gawson ni... lot o hwyl!" Rywfodd, dôi'r geiriau allan o'i cheg heb eu cymell, heb unrhyw reolaeth. Roedd arni eisiau rhoi ysgytwad iawn iddo, er na wyddai pam. "Roedden ni'n siomedig o weld Geraint ar ei draed pan ddaethon ni adre," ychwanegodd, dan wenu'n haerllug.

Gollyngodd Marc hi'n sydyn, a brifwyd hi i'r byw gan yr olwg ddirmygus ar ei wyneb.

"O Dduw, y fath ffŵl ag ydw i!" meddai'n ffyrnig, "yn meddwl mai merch fach ddiniwed oeddech chi, fod angen eich amddiffyn chi. A thrwy'r adeg... trwy'r adeg..." Nid oedd ganddo eiriau i'w fynegi

124

ei hun. Cribodd ei wallt â'i fysedd, yna troes i ffwrdd heb edrych arni. Cerddodd yn araf ar hyd y llwybr at y llidiart, cyn troi i syllu arni.

"Pedair ar ddeg yw Geraint," meddai. "Oed y delfrydau. Charen i ddim iddo fe weld Parri'n dod mâs o'ch stafell wely chi." Diflannodd drwy'r giât.

Safodd Luned yno'n gegrwth a syfrdan. Pam, o pam, y bu raid iddi fod mor ffôl? Roedd ar fin rhedeg ar ei ôl pan glywodd sŵn ei gar yn cychwyn, a gwyddai ei bod yn rhy hwyr.

Yn drwm a blinedig, dringodd yn ôl i ben y goeden eirin i hel mwy o ffrwythau. Prin y gallai eu gweld gan fod ei llygaid yn llawn o ddagrau. Sychodd hwy â chefn ei llaw, ond mynnent ffrydio o hyd a llifo i lawr ei gruddiau. A oedd obaith i Marc ei choelio bellach pe dywedai wrtho na wnaethai Juan ddim ond ei chusanu? Pam roedd arni eisiau iddo gredu'r gwaethaf gynnau? Gyda hen ffon ei thad yn ei llaw, ymestynnodd cyn belled ag y gallai i geisio bachu un o'r brigau uchaf, ond oherwydd ei dagrau methodd â chael gafael arno. Ymestynnodd ymhellach, a cholli ei chydbwysedd yn llwyr.

Cwympodd drwy'r brigau isaf a tharo'r ddaear yn galed, gydag un goes yn gam oddi tani. Am ysbaid bu'n gorwedd yn syfrdan, yna, pan ddechreuodd ddod ati ei hun, ceisiodd godi. Teimlodd boen yn gwanu drwy ei chlun, a gwaeddodd cyn syrthio'n ôl ar ei hyd, yn wan ac yn sâl. Gwelai'r awyr fel pe bai wedi tywyllu, a chlywai dwrw rhuo rhyfedd yn ei chlustiau. Daeth tonnau o gyfog drosti a gorweddodd yno'n ddiymadferth, tra ffroenai Blodyn o'i chwmpas yn gyffrous gan redeg yn ôl a blaen am dipyn cyn eistedd wrth ei hochr. Llyfodd yr hen gi ei hwyneb yn garuaidd ac anesmwyth.

"O, Blodyn," sibrydodd Luned, "mi fasai'n dda

gen i petai rhywun yn dod heibio!''

Drwy drugaredd, ni fwriadai Geraint aros drwy'r dydd yn nhŷ Marc. Cyrhaeddodd adref tuag un a galw ar ei chwaer.

"Luned! Lu-ned! Ble'r wyt ti?''

Ymdrechodd Luned i'w ateb. Gan fod ei llais yn wan, ceisiodd berswadio Blodyn i fynd ato, ond gwrthododd y ci â syflyd. O'r diwedd daeth Geraint o hyd iddi, a gwelwodd ei ruddiau.

"Wyt ti wedi brifo llawer, Luned? Fedri di godi?''

Ysgydwodd ei phen. "Fy nghoes i wedi torri, dwi'n meddwl... a mae gen i boen ofnadwy yn fy mol...''

"O'r argoel,'' meddai yntau. "B-be' wna i?''

"Ffonia'r doctor,'' sibrydodd Luned. "Na, ffonia'r ambiwlans. Mi fyddan yn gynt... a mi fydd raid i mi fynd i'r ysbyty, beth bynnag. A gwell i ti adael i Ceri wybod, os medri di.''

Diflannodd ei brawd, a dychwelyd cyn gynted ag y gallai gyda chlustog. Cododd ei phen yn dyner a gosod y glustog dano, yna eisteddodd wrth ei hochr ar y glaswellt a gafael yn ei llaw.

"Mi ffoniais i Marc,'' meddai'n dawel. "Gwell na galw Ceri, wnâi hi ddim ond poeni. Mae o'n dod ar unwaith. Os daw'r ambiwlans o'i flaen o, rydan ni i fynd, a mi wêl yntau ni yn yr Adran Ddamweiniau.''

Marc a gyrhaeddodd gyntaf, beth bynnag. Rhuthrodd i'r berllan, a phenlinio gerllaw iddi i'w harchwilio'n gyflym a hyderus. Fel y cyffyrddai ei ddwylo â'i chorff yn dyner, gwyddai Luned y dylai gofio rhywbeth... rhywbeth a ddywedasai Marc wrthi, rhywbeth annymunol. Ond ni allai feddwl. Teimlai'n benysgafn, fel pe bai ar fin hedeg i ffwrdd. Synhwyrai fod Marc yn bryderus yn ei chylch er gwaethaf yr olwg ddigyffro ar ei wyneb. Ceisiodd ofyn iddo a oedd wedi brifo'n ddrwg, ond ni ddôi'r geiriau o'i cheg. Caeodd tywyllwch o'i chwmpas.

Daeth ati ei hun mewn ystafell fechan ac iddi barwydydd gwynion, a'i drysau'n agor a chau'n ddibaid. Dynion mewn cotiau gwynion yn mynd a dod, nyrsys yn ei thrin, rhywun yn holi pryd y cawsai fwyd ddiwethaf, rhywun arall yn rhoi pigiad iddi.

"Be' sy'n digwydd?" gofynnodd yn floesg. "Ble mae Marc?"

"Fan hyn, bach." Ymddangosodd fel ysbryd, a dyn canol oed gyda wyneb crwn, llon, wrth ei ochr. "Ry'ch chi wedi torri'ch sblên a bydd angen triniaeth arnoch chi."

Syllodd hithau ar ei braich, a'r tiwb a oedd yn sownd ynddi. "Beth ydi hwn?" gofynnodd.

"Trallwysiad gwaed. Bydd Ceri'n dod lan i'ch gweld chi toc."

"Chi fydd wrthi?"

"Na," meddai'n dawel. "Dw i byth yn rhoi triniaeth lawfeddygol i 'nghyfeillion. Mr Beynon fydd yn gofalu amdanoch chi." Amneidiodd i gyfeiriad y gŵr wrth ei ochr. Toc, gadawodd y llawfeddyg, ond arhosodd Marc. Caeodd Luned ei llygaid i ganolbwyntio'i meddwl.

"Marc, beth ddigwyddodd cyn i mi syrthio o'r goeden? Roeddech chi... yn flin efo fi am ryw reswm, ond fedra' i ddim cofio pam."

Eisteddodd Marc wrth ei hochr. "Dyw e ddim o bwys, 'merch i. Anghofiwch e," ond daliodd hi i ymboeni hyd nes cyrhaeddodd Ceri.

"Wel, am beth twp i'w wneud, Luned! Mi gafodd Geraint druan sioc ei fywyd! Diolch byth amdanoch chi, Marc!"

"Fe'ch gadawa' i chi ferched, 'te." Cymerodd Marc gip ar ei wats. "Byddwch chi yn y theatr ymhen ychydig funudau, Luned, a phan ddeffrowch fe fyddwch chi'n teimlo'n bur wahanol.''

Ni theimlai Luned lawer gwell pan ddaeth ati ei hun yn y ward fach, er fod ei meddwl yn gliriach. Brifai ei chorff drosto, a theimlai ei choes dde yn syth ac anghysurus yn crogi o'r geriach cymhleth uwchlaw iddi. Daliai'r gwaed i ddiferu'n araf i'w braich.

''Gwaedu tu mewn roeddet ti,'' meddai Ceri y noson honno. Syllodd yn ddifrifol ar ei chwaer. ''Pe bai Geraint heb ddod yn ôl pan ddaeth o...'' Tawodd, ond deallai Luned ei hawgrym. Ym marn Ceri, roedd yn ffodus ei bod yn fyw. Gallasai waedu i farwolaeth, ei choes yn ei rhwystro rhag symud, a'i bywyd yn treio'n araf dan haul poeth mis Awst. Crynodd Luned a'i cheg yn sych. O, roedd yn braf bod yn fyw, er nad oedd rhywun yn cael ei ffordd ei hun bob amser. Er nad... ''Marc,'' meddyliodd, ''wedi ffraeo efo Marc.'' A'r tro hwn, cofiodd pam.

''O, Marc,'' sibrydodd, heb sylweddoli i Ceri ei chlywed, a llifodd dau ddeigryn dros ei gruddiau gwelw ac i lawr ar y glustog. Plygodd Ceri drosti'n bryderus.

''Be sydd, Luned? Be' ddywedaist ti am Marc?''

''Mi gawson ni ffrae, Ceri. Cyn i mi syrthio o'r goeden.''

''Doedd hi ddim yn ffrae ddrwg, mae'n rhaid.'' Gwenai Ceri erbyn hyn. ''Mae Marc wedi bod yn gefn anhygoel i ni, yn tawelu Geraint a ffonio Dad a Siwan. Mi fyddan adra bore fory. Mi ddeudodd Marc nad oedd dim angen iddyn nhw ruthro'n ôl heno. Mae Geraint am aros efo fo, a Juan yn mynd i edrych ar ei ôl ei hun.''

''O'r nefoedd, Ceri! Roeddwn i wedi anghofio'n llwyr am y bobol ddiarth. Mae 'na dri yn cyrraedd nos fory.''

Rhoes Ceri ei llaw ar ei thalcen i'w thawelu.

"Popeth yn iawn, Lun. Wir rŵan! Mae merch Mrs Rowlands am ddod acw am sbel."

"Ond mae ganddi hi deulu. Plant go fach."

"Mi wnaiff hi edrych ar ôl y tŷ, a Siwan edrych ar ôl y plant. Rhaid iddi arfer os ydi hi o ddifri eisio mynd yn *au-pair*!"

Chwarddodd Luned yn wan. Uchelgais pennaf Siwan oedd cael bod yn nyrs i blant rhyw berchennog llongau cyfoethog o Roegwr. Yna sobrodd a gofyn braidd yn anesmwyth, "Ydi hi'n gwybod eto?"

"Nac ydi," gwenodd Ceri. "Ond os caiff hi ddewis rhwng y plant a'r gwaith tŷ, mi wn i pa un gymrith hi. A mae hi'n un reit dda efo plant, felly paid ti â phoeni. Mi fydd popeth yn iawn."

Yr unig rai a gafodd ddod i'w gweld fore trannoeth oedd Siwan a'i thad. Arhosodd y ddau am ryw ddeng munud gan ategu geiriau Ceri. Cyrhaeddodd Mr Beynon tuag un ar ddeg, gyda Mr Carter, ymgynghorydd esgyrn. Eglurwyd i Luned ei bod wedi torri ei ffemwr, ac nad oedd y taclau a ddaliai ei choes ond pethau dros dro.

"Gyda byddwch chi'n ddigon da, mi fydda' i'n trin eich coes chi," meddai'r meddyg esgyrn. "Rhoi hoelen ynddi i helpu'r asgwrn asio. Mi fyddwch ar eich traed yn gynt o lawer na phetaech chi'n dibynnu ar y rhain yn unig."

Ni hoffai Luned y syniad o gael hoelen yn ei choes, ond bodlonai i ddioddef unrhyw beth a alluogai iddi gerdded yn gynt.

"Dyna sut maen nhw'n trin pawb," meddai Ceri wrthi'n ddiweddarach. "Mi fasan wedi gwneud dy goes di'r un pryd â'r driniaeth arall pe baet ti'n ddigon cryf i ddal y ddwy."

"Oeddwn i cynddrwg â hynny?"

"Wedi colli gwaed yn ddychrynllyd," meddai Ceri'n siriol. "Mi ddarun nhw sugno peintiau o dy fol di!"

Arswydodd Luned a throi ei phen draw.

"Mae 'da chi lawer i'w ddysgu am drin cleifion, Ceri," meddai llais gwawdlyd o'r drws. "Byddwch chi'n cael enw drwg am eu dychryn nhw i gyd i farwolaeth!"

Edrychodd Ceri'n edifeiriol. "Sorri, Luned. Chofiais i ddim nad meddyg oeddet ti."

"A phe bai hi'n feddyg, rwy'n amau a fyddai hi'n moyn clywed yr holl fanylion gwaedlyd 'na amdani 'i hunan," meddai Marc yn sychlyd, a dod at erchwyn y gwely i syllu ar Luned. "Sut y'ch chi, bach?"

"Iawn," sibrydodd Luned, yn swil i gyd bellach o gofio'r sgwrs yn y berllan. Roedd cymaint wedi digwydd ers hynny. Anodd credu nad oedd ond pedair awr ar hugain yn ôl.

"Sister yn dweud na chawsoch chi ddim noson rhy dda. Mae hi'n meddwl eich bod chi'n poeni am rywbeth."

"Ydi, am y tŷ," torrodd Ceri ar ei draws, "er i mi ddweud wrthi fod popeth yn iawn yno."

"Nid am y tŷ," meddai Luned yn flinedig. "Am y... y pethau ddwedson ni wrth ein gilydd, Marc. Mae'n gas gen i ffraeo efo chi." Winciodd yn galed i geisio cadw'r dagrau o'i llygaid.

Bu Marc yn dawel cyhyd nes peri iddi edrych i fyny arno'n bryderus, a'i ganfod yn syllu arni gyda rhyw olwg anghyffredin ar ei wyneb. Roedd hoffter yn ei lygaid, yn sicr... ac awgrym o resynu.

"Mae'n flin 'da fi, Luned," meddai'n dawel. "Fy mai i oedd y cyfan. Roeddech chi'n iawn. Ddylen i ddim busnesa. Chi biau'ch bywyd."

"Wel, wel!" ebychodd Ceri'n chwilfrydig. "Am olygfa fach deimladwy. Fasai ots gennych chi 'ngoleuo fi?"

"Byddai," meddai Marc yn blaen. "Rhywbeth rhyngof fi a'ch chwaer yw hyn, felly cadwch chi bant." Tymherodd ei eiriau drwy led-wenu arni, yna cyffyrddodd yn ysgafn ag ysgwydd Luned. "Rhaid i fi fynd. Gorchymyn pendant 'da Sister."

"Ond Marc, chefais i ddim... ddim egluro. Ddoe... roeddech chi'n camgymryd..."

"'Merch annwyl i," meddai Marc yn dyner, "mae ddoe wedi mynd. Byddai'n well 'da fi anghofio amdano fe." Trawodd ei law ar ysgwydd Ceri a'i throi tua'r drws. "Mae'ch chwaer wedi blino'n llwyr. Fe'i gadawn ni hi mewn heddwch."

PENNOD 10

Cynefinodd Luned yn rhwydd â threfn yr ysbyty, a dôi rhywun o'r teulu i'w gweld bob prynhawn i'w sicrhau nad oedd angen iddi boeni am y cartref.

"Mae Mrs Davies am aros nes byddi di'n well," meddai Siwan.

"Ond pwy gaiff hi i edrych ar ôl y plant pan ei di i'r ysgol?" gofynnodd Luned yn bryderus.

Gwenodd Siwan yn fuddugoliaethus. "Fydda i ddim yn mynd yn ôl," meddai. "Mi gefais i eitha Safon O ac rydw i'n hollol bendant rŵan fod arna i eisio mynd yn *au-pair* am sbel. Ond cha i ddim mynd dan fy mhen-blwydd ym mis Tachwedd felly dim rhaid i ti boeni am na chei di ddim gweithio cyn hynny."

Disgwyliasai Luned fod ar ei thraed ymhell cyn mis Tachwedd, ond ategodd Ceri eiriau Siwan y noson honno. "Mi allet fod yn hirach, hyd yn oed," rhybuddiodd. "Ond yn ôl Mr Carter rwyt ti cyn iached â'r gneuen. Mi allet gael dy driniaeth unrhyw ddydd."

"Mi fasai'n dda gen i pe bai dim angen i mi fynd drwy'r holl helynt eto," meddai Luned dan ochneidio. "Nid y llawdriniaeth sy'n fy mhoeni fi, y cyfnod ar ei hôl hi ydi'r drwg... teimlo'n ofnadwy."

"Wedi cael sioc oeddet ti'r tro o'r blaen. Rwyt ti'n berffaith iach y tro yma. Ar fy ngwir, Luned, dim angen pryderu."

Er iddi gael amryw o ymwelwyr o blith y meddygon, hiraethai Luned am un ymwelydd arbennig na ddôi ar ei chyfyl. Yn y diwedd, gorfu iddi holi Ceri amdano.

"Ydi Marc i ffwrdd? Fuo fo ddim yma'n ddiweddar."

"Prysur ydi o, mae'n siŵr," meddai Ceri'n ddidaro. "Ac wrth fod Aneira o gwmpas..."

"Aneira? 'Roeddwn i'n meddwl ei bod hi yn Llundain."

"Soniais i ddim? Mae hi wedi rhoi'r gorau i'r swydd 'na yn Llundain."

Caeodd Luned ei dyrnau ac anadlu'n gyflymach. Syllodd ar gefn ei chwaer a'i gweld yn ailwisgo'i chôt wen.

"Paid â mynd, Ceri. Aros am funud."

"Sorri, Luned. Rhaid i mi sgwennu nodiadau erbyn fory."

"Ceri, plîs... ydyn nhw... ydyn nhw'n priodi?"

Syllodd Ceri arni. "Pwy dywed? O, Marc ac Aneira! Wn i ddim. Dim ots gen i chwaith, mae'n dda gen i ddeud!" Arhosodd yn y drws am ennyd, dan wenu o gofio'i gwiriondeb. "Mae'n rhaid mod i'n wallgo i lafoerio dros Marc. Dydi o mo fy nheip i o gwbwl. Hwyrach y bydd Huw a finnau wedi selio'r fargen o'u blaenau nhw!"

Un a barai i Luned ymlacio yn ei gwmni oedd Huw.

"Fedra i ddim ymlacio rhyw lawer fy hun ar hyn o bryd," meddai ef pan alwodd. "Ddim ers i mi glywed am Dr Morgan. Mae hi'n gweithio yn lle un o'r anaesthetwyr sy'n mynd i'r 'Merica am fis neu ddau. Hi fydd fy mhennaeth i, yn anffodus. Fedra i ddim dweud 'mod i'n edmygu'r foneddiges, er fod Ceri i'w gweld yn ei hoffi hi."

"Beth.. ydi hi wedi dechrau'n barod?"

Atebodd yn anhapus ei bod, ers deuddydd. "Paid â 'nghamddeall i. Mae hi'n ardderchog wrth ei gwaith, ond mae'i thafod hi fel rasal, a fedr hi ddim diodde i'r meddygon iau wneud unrhyw gam-gymeriad.''

"Peth od,'' murmurodd Luned. "Roeddwn i'n meddwl bod arni eisio'r swydd yna yn Llundain... yn anhepgor i'w gyrfa hi, neu rywbeth.''

Cododd Huw ei ysgwyddau. "Hwyrach iddi benderfynu bod ei darpar ŵr yn bwysicach na'i gyrfa.''

"Wyddost ti pa bryd maen nhw am briodi?'' Gobeithiai na sylwai Huw arni'n cochi.

"Dim syniad,'' meddai Huw'n ddi-hid. "Fawr o bwrpas, a hithau mor brysur, efo un ymgynghorydd i ffwrdd ac un arall ar ei wyliau.''

Yn dilyn ei sgwrs gyda Huw ni synnodd Luned ryw lawer pan welodd Aneira'n cerdded drwy ddrws ei hystafell y prynhawn hwnnw gyda'r Sister. Sylweddolodd yn syth mai ymweliad swyddogol ydoedd. Gwisgai Aneira gôt wen o doriad llawer gwell na'r rhai cyffredin a ddefnyddiai Ceri a Huw. Roedd yn fywiog ac effeithlon ac yn ddigon dymunol.

"Ddihunais i chi, Miss Wyn? Dim ond moyn cael cip bach arnoch chi cyn y driniaeth yfory.''

Cynorthwyodd y Sister Luned i dynnu ei choban, a dechreuodd stethosgob Aneira symud yn drefnus dros ci brest.

"Pwysedd y gwaed nawr, Sister.'' Wrth iddi lapio'r llawes am fraich Luned, syllodd yr eneth i'w hwyneb difynegiant.

"Roeddwn i'n meddwl... na fyddai meddygon byth yn... gwneud dim i bobl maen nhw'n eu 'nabod.''

"Dim i'w cyfeillion, nac ydyn,'' cytunodd Aneira'n ddigyffro, "ond prin y'n ni'n adnabod ein gilydd, cariad.'' Rhoddodd gyrn y stethosgop yn ei chlustiau a phlygu ei phen. "Peidiwch â siarad nawr, os gwelwch yn dda.'' Rholiodd y llawes yn ei ôl a dweud yn gyflym, ''Ardderchog. Ry'ch chi wedi gwella o'r haint hwnnw gawsoch chi ar y frest ar ôl y driniaeth o'r blaen. 'Dy'ch chi ddim yn bryderus am yfory, ydych chi?''

''Ydw,'' mwmiodd Luned. ''Rydw i ar bigau'r drain byth er pan ddwedwyd wrthyf i. Ydi'r bin yma'n hollol angenrheidiol?''

''Wrth gwrs ei bod hi. Ydych chi'n meddwl y byddai gŵr prysur fel Mr Carter yn gwastraffu ei amser 'da thriniaeth ddianghenrhaid?'' Wrth iddi syllu i wyneb poenus Luned, tynerodd llygaid Aneira. ''Does dim angen pryderu o gwbl,'' ychwanegodd yn garedig. ''A byddwch chi ar eich traed yn llawer cynt na phe baen nhw'n eich gadael chi i grogi o'r offer hyn.''

Galwodd Ceri a Huw ar ôl swper, i geisio codi ychydig ar ei chalon.

''Mi fasai'n dda gen i gael rhywun heblaw Dr Morgan,'' meddai Luned.

Daeth syndod amlwg i lygaid y ddau.

''Mae hi'n dda iawn wrth ei gwaith,'' meddai Huw.

''Ac yn ddigon clên pan ddeui di i'w 'nabod hi,'' ychwanegodd Ceri.

''Dydi hi ddim yn fy leicio i,'' meddai Luned yn anhapus. ''Mi ddylsai ofyn i rywun arall fy nghymryd i yn ei lle hi.''

Edrychodd y ddau ar ei gilydd a chwerthin.

''Fydd meddygon byth yn gadael i deimladau personol ymyrryd â'u dyletswyddau.''

''Mi ddeudodd Marc na fyddai o byth yn gwneud llawdriniaeth ar ffrind.''

''Mae hynny'n wahanol. Mae o'n dy 'nabod di'n dda; dydi Aneira ddim.''

''Ond os ydych chi ddim yn leicio rhywun...''

"Luned, f'aur i," meddai Huw yn gadarn dan afael yn dynn yn ei llaw, "dwyt ti ddim yn awgrymu y gallai Aneira roi gormod o ddôs i ti, gobeithio?" Ceisiai swnio'n gellweirus a gwenodd Luned yn wan arno. "Dyna welliant," aeth ymlaen. "Mae gen ti lawfeddyg ardderchog ac anaesthetydd tan gamp, felly does gen ti ddim affliw o reswm dros boeni."

"Mi wn i hynny mewn gwirionedd. Welodd rhywun M-Marc heddiw?"

"Do, fi. Pam, Luned?"

"O, dim byd." Claddodd ei phen yn ei chlustog. "Dim ond y baswn i wedi.. wedi hoffi'i weld o. Rydw i wedi blino braidd, gwell i mi fynd i gysgu."

Plygodd Ceri a'i chusanu ar ei thalcen.

"Cwyd dy galon, mi fydd drosodd toc," meddai, ond edrychai'n bur bryderus wrth fynd allan gyda Huw.

Tra cynorthwyai'r nyrs Luned i orwedd yn ddiweddarach, daeth cnoc ar y drws a cherddodd Marc i'r ystafell. Safai yn y cysgod a phrin y gallai hi weld ei wyneb.

"Ceri'n dweud eich bod chi'n moyn fy ngweld i?"

Gan deimlo'n ymwybodol iawn o'r nyrs, murmurodd Luned yn aneglur. Daeth Marc at ochr y gwely.

"Beth sy'n bod 'te, bach?"

"Ddaethoch chi... ddim i mewn yn un swydd?" gofynnodd Luned yn hurt, a gwenodd yntau.

"Roeddwn i'n moyn gweld un o nghleifion. Gwrddes i â Ceri yn y stafell gyffredin. Allech chi'n gadael ni am funud neu ddwy, Staff?"

"Mae Miss Wyn i fod i gael noson gynnar, syr."

"Munud neu ddwy, 'na'r cyfan." Gafaelodd Marc yn ysgwyddau'r eneth a'i throi i wynebu'r drws. "Chwiliwch am rywun arall i ffwdanu'n ei chylch."

Chwarddodd Luned dan ei gwynt. "O, Marc! Mae hi'n flin rŵan!"

"Nonsens!" Tynnodd gadair ymlaen ac eistedd wrth ei hochr. "Nawr te, dwedwch beth sy'n bod."

"Dim byd, wir rŵan. Mae'n ddrwg gen i i Ceri'ch poeni chi. Digwydd sôn wnes i nad oeddwn i ddim... ddim wedi'ch gweld chi ers tro." Daeth cerydd i'w llais er ei gwaethaf.

Syllodd Marc arni'n galed. "A chi wedi gweld f'eisiau i, Luned? Mae'n anodd 'da fi gredu."

Llyncodd Luned ei phoer yn nerfus, a gafael yn dynn yn y cynfasau.

"Wel, mi wnes. Roeddwn i'n meddwl... hwyrach eich bod chi'n dal yn ddig wrtha i."

Gwgodd Marc ac ysgwyd ei ben yn ddiamynedd. "Rwy wedi gweud wrthych chi eisoes, mae'n well 'da fi anghofio'r holl helynt hurt. Bu'r ddau ohonon ni'n eitha cywilyddus y tro hwnnw."

"Mi wn i hynny," sibrydodd Luned yn druenus. "Ond... ond y pethau ddywedais i, Marc..."

"O, er mwyn Duw!" ffrwydrodd, "caewch eich pen am yr holl beth! Y'ch chi'n ferch fawr nawr. Fe gewch chi ymddwyn fel mynnoch chi, ond peidiwch â disgwyl i fi gymeradwyo."

"Does gynnoch chi ddim hawl i fod ar gefn eich ceffyl!" cyfarthodd Luned.

"A beth yw ystyr hynny?" gofynnodd Marc yn sarrug o dawel.

"Chi ac Aneira, wrth gwrs. Mae pawb yn gwybod eich bod chi'n byw efo'ch gilydd felly pa hawl sydd gennych chi i 'meirniadu i? Nid fod yna unrhyw beth..."

Gafaelodd mor galed yn ei braich nes peri iddi wingo.

"Dyna ddigon Luned," rhygnodd. "Mae Aneira

a fi wedi'n dyweddïo. Y'n ni'n bwriadu priodi. Rwy'n cymryd nad y'ch chi ddim yn disgwyl i Parri'ch priodi chi?''

Dechreuodd y drws agor a symudodd Marc ei law yn frysiog fel y dôi'r Arolygydd Nos i mewn gyda'r Nyrs Staff. ''Mr Ffransis, mae'n rhaid i mi ofyn i chi adael rŵan.''

Siaradai'r Arolygydd Nos yn fwriadus ac urddasol, ac amneidiodd Marc yn ddiamynedd, â'i wefusau'n dynn.

''Rwy'n mynd nawr.'' Edrychodd ar Luned. ''Rwy'n amau, lodes, y byddai'n well pe bawn i heb ddod o gwbl,'' sibrydodd dan ei wynt. Oedodd am eiliad wrth y drws.

''Pob lwc yfory,'' meddai'n dawel cyn mynd allan a'i gadael yn nyfnder ei gofid.

Aed â hi i'r theatr erbyn naw. Daeth Mr Carter i siarad â hi am eiliad yn yr ystafell anaestheteg. Byddai fel newydd ymhen ychydig fisoedd, meddai'n galonogol.

''Dydw i fawr o ffansi crwydro'r lle efo darn o haearn yn fy nghoes,'' ochneidiodd Luned, yn gysglyd oherwydd y pigiad a gawsai i'w pharatoi.

Chwarddodd yntau, ac addo'i dynnu oddi yno'n ddiweddarach. Yna diflannodd, ac ymddangosodd Aneira yn ei gwisg theatr werdd. Edrychai'n eithriadol effeithlon wrth iddi blygu dros y troli anaesthetig i lenwi ei chwistrelli ac i sicrhau fod y silindrau nwy yn iawn. Torchodd y nyrs a'i cynorthwyai lawes gŵn theatr Luned, a lapiodd Aneira ddarn o diwb rhwber o amgylch ei braich.

''Dim eisio anaesthetig, diolch yn fawr,'' meddai Luned yn eglur a chwrtais, ond swniai ei geiriau ymhell i ffwrdd rywfodd.

Eisteddodd Aneira ar un o'r stolion a gafael yng ngarddwrn Luned. Syllodd Luned yn bryderus ar y chwistrell, a chofiodd eiriau Huw. "Dwyt ti ddim yn awgrymu y gallai Aneira roi gormod o ddôs i ti?"

Llifodd panig gwyllt drwyddi. Ymdrechodd yn galed i eistedd a cheisiodd y nyrs ei rhwystro.

"Mae hi *wedi* cael ei pharatoi?" gofynnodd Aneira'n llym. "Wedi cael ei phigiad cyntaf?"

"Ydi, siŵr o fod," atebodd y nyrs yn ffwdanus.

"Siŵr o fod?" cyfarthodd Aneira. "Dy'ch chi ddim yn sicr? Gofynnwch i'r nyrs o'r ward."

Arhosai nyrs y ward yn y coridor. Fel yr âi nyrs y theatr allan yn frysiog, llygadodd Luned Aneira'n bryderus.

"Be' wn i be' rowch chi i mi? Mi allech chi wneud yn siŵr na ddo' i byth ataf fy hun."

Distawodd ei geiriau wrth weld yr olwg ar wyneb Aneira — anghrediniaeth noeth i ddechrau, yna cythrudd, yna rhyw ddifyrrwch diamynedd.

"Peidiwch â bod yn hollol hurt, ferch." Arbedwyd hi rhag gorfod dweud chwaneg gan i'r nyrs ddychwelyd gyda nyrs y ward.

"Mae'n ddrwg gen i, doctor, methu cael hyd i f'esgidiau. Ydi, wrth gwrs, mae hi wedi cael ei phigiad."

Roedd yn eneth annwyl, a gafaelodd yn llaw Luned i'w chysuro, er nad oedd angen cysur arni bellach. Gwyddai iddi ymddwyn yn chwerthinllyd. Ni fyddai Aneira byth yn gadael i'w theimladau personol ymyrryd â'i gwaith proffesiynol; syniad afresymol hollol. Felly caeodd Luned ei llygaid ac ymdawelu. Teimlodd bigiad bychan ar gefn ei llaw, clywodd furmur lleisiau, a cheisiodd ymddiheuro, ond ni lwyddodd i yngan mwy nag un gair.

Teimlodd gywilydd mawr pan gofiodd yr holl helynt drannoeth. Daeth Aneira i'w gweld, yn ôl ei harfer, i sicrhau fod ei brest yn iawn ar ôl yr anaesthetig. Gadawodd Luned iddi ei harchwilio mewn distawrwydd. Cadwodd Aneira'i stethosgop ym mhoced ei chôt wen.

"Ardderchog. Sut y'ch chi'n teimlo, Luned?" Pur anaml y galwai Luned wrth ei henw bedydd.

"Yn ffŵl gwirion, os oes arnoch chi eisio'r gwir, Dr Morgan."

Cododd aeliau siapus Aneira. Syllodd ar ei llaw wen fain ac astudio'i hewinedd. Disgleiriai modrwy ddyweddïo Marc ar ei bys priodas.

"Gawn ni fod yn garedig a dweud nad oeddech chi ddim... ar eich gorau?" awgrymodd. "Mae pobl yn adweithio'n bur od i gyffuriau ambell dro. Roeddech chi'n bur... ddryslyd." Disgleiriai rhyw awgrym o hiwmor yn y llygaid gleision clir, ond ni allai Luned benderfynu ai chwerthin mewn cydymdeimlad â hi ynteu chwerthin am ei phen yr oedd.

"Mae'n ddrwg gen i, beth bynnag," murmurodd. "Gobeithio... na soniwch chi ddim wrth Marc."

Diflannodd gwên Aneira. "Ry'ch chi wastod yn brygowthan am Marc! Fyddwn i byth yn breudd-wydio'i ddiflasu fe 'da'r fath stori dwp. Dewch 'mlaen, da chi, Staff."

A cherddodd allan yn ffroenuchel.

Unwaith y cynefinodd â diogi, bu raid i Luned gyfaddef ei bod yn teimlo'n well o gael gorffwys. Buasai'r tair blynedd er pan fu farw'i mam yn wallgof o brysur, a'r pedwar mis olaf yn fwy o straen fyth. Cawsai ryddhad o allu trosglwyddo cyfrifoldeb y tŷ i ddwylo medrus merch Mrs Rowlands, er fod eu helw'n llai.

"Ond fyddi di ddim yma'n hir eto rŵan," sicrhaodd Mrs Rowlands hi pan alwodd i edrych amdani un prynhawn.

"Diolch byth am hynny!" chwarddodd Luned. "Ond hidiwch befo fi rŵan. Deudwch wrthyf i, pa newydd sydd?"

Plygodd Mrs Rowlands tuag ati'n eiddgar. "Wyddost ti'r Mr Ffransis 'na fyddai'n byw yn eich tŷ chi? Mae ffrind i mi'n glanhau iddo fo rŵan."

"Ydi wir?" mumurodd Luned. "Gobeithio'i fod o wedi cael trefn ar ei dŷ bellach."

"Wn i ddim, wsti," meddai Mrs Rowlands, "ond mae Mari wrth ei bodd yn gweithio iddyn nhw."

"Nhw? Pwy...?" Synnodd Luned braidd o feddwl fod Marc ac Aneira'n byw gyda'i gilydd yng ngŵydd pawb. Credai fod meddygon fel arfer yn ceisio rhoi argraff, o leiaf, eu bod yn bobl barchus!

"Mr Ffransis a'i fam," ychwanegodd Mrs Rowlands. "Dynes glên ofnadwy, meddai Mari."

Wedi i Mrs Rowlands adael ar ôl pnawn o hel straeon, myfyriodd Luned ar y newydd hwn. Os nad oedd Mrs Ffransis yn fam bur anghyffredin, anodd ei dychmygu'n cymeradwyo ymddygiad Marc ac Aneira.

Penderfynodd Luned geisio pwmpio ychydig ar Ceri a Huw pan gâi gyfle, ond ni fu lawer elwach o holi. Yr unig wybodaeth a gafodd oedd fod Aneira'n byw yn un o fflatiau'r ysbyty. Mynnu dychwelyd at eu helyntion eu hunain bob gafael a wnâi ei chwaer a'i chariad, a dechreuodd Luned amau fod priodas yn y gwynt. Pa mor agos oedd priodas Marc bellach tybed? meddyliodd.

Toc, cafodd Luned dynnu'i phwythau. Dechreuasai'r physiotherapydd weithio arni eisoes, ond o hyn ymlaen byddai'n treulio mwy o amser gyda hi, ar orchymyn Mr Carter. Rhoesai Luned y gorau i obeithio am ymweliad arall gan Marc ar ôl trychineb y tro diwethaf. Nid ei bod yn brin o ymwelwyr eraill. Dôi rhes o feddygon ifainc i'w hystafell yn eu tro. Bellach, aethai Alun Huws i weithio i Marc, felly rhôi Luned groeso arbennig iddo. Os na châi weld y gŵr a garai, câi o leiaf glywed amdano, a chrybwyllai Alun ei enw o hyd. Edmygai a pharchai ei bennaeth newydd er fod cryn dipyn o'i ofn arno o hyd.

"Mi fedr Ffransis fod yn hynod o grafog os gwnei di rywbeth o'i le," sylwodd, a sôn amdano'i hun yn colli rhyw ffurflen pelydr-X. "Cofia di, roedd hi *yn* bwysig," cyfaddefodd dan ochneidio, "ond mi fuo'n gasach na'r disgwyl. Mae o wedi bod ar bigau'r drain yn ddiweddar. Pawb wedi sylwi."

Oherwydd Aneira? Neu ei fam efallai?

"Wyt ti wedi cyfarfod Mrs Ffransis?" gofynnodd Luned. Nac oedd, wrth gwrs, meddyliodd, a chadarnhaodd Alun hynny. Nid oedd mam Marc yn debygol o fynychu cartref y meddygon preswyl, er y gallai'n hawdd deimlo awydd gweld yr ysbyty lle gweithiai ei mab.

Dyna sut y cyfarfu Luned â hi yn y diwedd. Gallai gerdded gyda baglau bellach, a phob prynhawn bustachai'n araf a llafurus i fyny ac i lawr y prif goridor gyda'r physiotherapydd.

Un prynhawn Mawrth, a hithau ar fin colli pob gobaith o daro ar Marc, agorodd un o ddrysau'r coridor a daeth sŵn traed o'r tu ôl iddynt. Siaradodd rhyw wraig ac atebodd dyn hi, dyn a sgwrsiai'n swta ac a swniai'n union fel Marc. Rhewodd Luned ar ei baglau a'i chalon yn curo'n wyllt. Wnâi hi ddim... ddim troi, ond anadlai'n gyflym a theimlai ei breichiau'n wan.

"Ydych chi'n iawn?" gofynnodd y physiotherapydd. "Rydych chi braidd yn welw."

"Wedi... blino dipyn," atebodd Luned.

Erbyn hyn roedd sŵn y traed yn union y tu ôl iddynt.

"Helô, Luned," meddai Marc. "Mae'n dda 'da fi'ch gweld chi ar eich traed unwaith eto."

Pwysodd Luned yn drwm ar ei baglau: ni allai feddwl am affliw o ddim i'w ddweud. Gwenodd y wraig ganol oed wrth ochr Marc arni'n llawn cydymdeimlad.

"Mam, dyma Luned Wyn. Yn ei chartre hi roeddwn i'n byw pan ddes i lan 'ma gynta."

"Ie, rwy'n cofio, cariad." Estynnodd Mrs Ffransis ei llaw iddi, yna sylweddolodd na allai Luned ei hysgwyd a gwenodd ei hymddiheuriad. "On'd ydw i'n dwp, Luned! Pethau lletchwith y'n nhw, on'd e?"

Roedd ffrind Mrs Rowlands yn iawn, meddyliodd Luned; roedd mam Marc yn swynol. Edrychai ar rywun yn yr un ffordd dreiddgar â'i mab, a chyda'r un llygaid gleision urddasol, ond ymddangosai'n dyner a charedig, ac yn amlwg nid oedd arni frys o gwbl. Holodd Luned am y ddamwain ac am y gwesty.

"Rhaid eich bod chi'n bryderus, cariad," meddai gyda chydymdeimlad, tra cynrhonai Marc yn ddiamynedd yn y cefndir.

"Mam, ry'n ni *yn* cyfarfod Aneira am bedwar. Gwelwn ni chi, Luned."

Cerddodd y ddau ymlaen dan adael Luned a'r physiotherapydd ymhell ar ôl. Edrychent yn hardd, y gŵr tal, a'r wraig urddasol ganol oed. Roedd ei chorff fel corff merch ifanc a'i choesau'n hir a siapus, ei cham cyn ysgafned ag un ei mab, a'i hwyneb yn ddigrychni.

"On'd ydi hi'n ddynes hardd?" sylwodd cydymaith Luned.

"Ydi. Annwyl hefyd." A charedig, yn wahanol i Marc.

Nid oedd unrhyw gynhesrwydd yn ei lais ef wrth ei chyfarch. Ar ôl ei chyflwyno i'w fam, enciliodd o'r neilltu a golwg flin a ffroenuchel arno. Yn amlwg, roedd wedi golchi ei ddwylo'n llwyr oddi wrth Luned Wyn.

PENNOD 11

Amser te drannoeth, trawodd Sister ei phen trwy ddrws ystafell Luned.

"Wedi cael eich physiotherapi, Miss Wyn? Iawn. Rhywun i'ch gweld chi." Ac er syndod i Luned pwy a gerddodd i mewn ond Mrs Ffransis.

"Bydden i wedi dod 'ma'n gynt pe gwyddwn i am eich damwain chi. Alla i ddim deall pam na 'wedodd Marc wrtho'i."

"Doedd dim rheswm pam y dylai o," atebodd Luned. "Dydan ni ddim yn gweld llawer ar ein gilydd y dyddiau yma."

Eisteddodd ei hymwelydd gyferbyn â hi ac edrych yn dirion arni.

"Roedd 'da fi fwy na digon o reswm. Rwy wedi disgwyl cael cwrdd â chi byth er i fi gyrraedd, cariad."

"O ddifri?" meddai Luned, ar goll braidd. Pam na fuasai wedi gofyn i Marc ym mhle i gael hyd iddi, tybed?

"Ydw wir." Gwenodd mam Marc yn annwyl. "Roeddwn i'n moyn diolch i chi am ofalu cystal am fy mab."

"Dim angen," murmurodd Luned. "Chafodd o ddim ond yr un gofal â phawb arall."

Ysgydwodd Mrs Ffransis ei phen. "Fe wnaethoch chi e'n gysurus dros ben. Gwneud iddo deimlo'n gartrefol. Dyna pam rwy mor ddig wrtho fe. Pan sonies i y caren i gwrdd â chi, fe 'wedodd nad oeddech chi ddim gartre. Dim gair am y ddamwain. 'Dw i ddim yn gallu deall y mab 'na sy 'da fi o gwbl!"

"Roedd Marc mor brysur," sylwodd Luned, "a'i feddwl yn bell ambell dro o'r herwydd." Peth twp i'w ddweud, ac edrychodd Mrs Ffransis yn anghrediniol arni.

"A sut gallai fe anghofio a chithau man hyn yn yr un ysbyty â fe? Dw i ddim yn moyn peri tramgwydd i chi, cariad, ond tybed oes 'na ryw reswm dros ymddygiad rhyfedd Marc? Fe fyddai rhyw gyn-hesrwydd yn ei lythyrau fe bob tro y byddai fe'n eich crybwyll chi, ond ddoe, allwn i ddim peidio sylwi..." oedodd, gan ddethol ei geiriau'n ofalus, "wel, ddoe, roedd e'n elyniaethus mewn gwirionedd."

Brathodd Luned ei gwefus ac osgoi llygaid Mrs Ffransis. Astudiodd hithau wyneb ifanc anhapus yr eneth gyda phryder diffuant. "Mae'n flin 'da fi, Luned. Maddeuwch i mi am ymyrryd."

"Popeth yn iawn, peidiwch â phoeni." Yn sydyn, teimlai Luned angen siarad. Câi ryddhad o fwrw'i bol, yn enwedig i glust rhywun a ddangosai'r fath gydymdeimlad, er y byddai'n rhaid iddi ofalu na ddywedai ormod. Felly allan â'r stori i gyd, eu hatgasedd tuag at ei gilydd ar y dechrau, y modd y datblygodd eu cyfeillgarwch, a thuedd Marc i ymyrryd. Soniodd Luned wrthi am helynt y wisgi, hyd yn oed, a mor garedig y buasai Marc wrth ei thad, er iddi osgoi crybwyll pam y gadawodd.

"Ond wedyn, ar ôl iddo fo fynd, mi aeth popeth o chwith," gorffennodd yn drist. Doedd o... doedd ganddo fo ddim llawer o feddwl o un o fy ffrindiau i. Mi ddeudais innau nad oedd ganddo fo ddim hawl i fusnesu, ac mi ddaeth y cwbl i ben efo coblyn o ffrae."

"Rwy'n dechrau deall nawr. Ond dyna i chi Marc! Nodweddiadol ohono fe! Tra-arglwyddiaethu a cholli'i dymer!"

"Mi gollais innau fy nhymer hefyd," addefodd Luned.

"Wel do, 'ngeneth i, alla i gredu 'ny'n hawdd! A phwy allai'ch beio chi? Mae'r mab 'na sy 'da fi'n anobeithiol!" Gwenodd o weld y syndod ar wyneb Luned. "Mam fradwrus, ie fe? Rwy'n addɔli Marc, ond yn cydnabod ei feiau fe serch hynny!"

"Ond mewn ffordd, arna *i* oedd y bai i ni ffraeo," meddai Luned yn araf, a chan ei bod eisoes wedi gollwng y gath i gyd ond ei chynffon o'r cwd, dilynodd y gweddill yn ddidrafferth... y trip gyda Juan, a'r modd y gadawsai i Marc gredu fod Juan a hithau'n gariadon. "Peth gwallgo' hollol i'w wneud," meddai'n ddigalon, "ond roedd o'n... ymddwyn fel rhyw unben hunandybus. Doedd o ddim am gael gorchymyn i mi sut i fyw fy mywyd."

Chwarddodd Mrs Ffransis, ond edrychai'n feddylgar ar Luned benisel.

"Ry'ch chi'n flinedig, cariad. Fe af fi'n awr." Plygodd tuag ati a gafael yn ei llaw. "Fe ddof fi yma i'ch gweld chi 'to yn fuan."

Y tro nesaf yr aeth y physiotherapydd â Luned ar hyd y prif goridor, cyfarfu â Marc eto. Ymestynnai'r coridor mor bell nes peri i'r bobl yn y pen draw iddo ymddangos yn fach ac anodd eu hadnabod. Fel yr ymlwybrai Luned yn araf a llafurus ar hyd-ddo, gwelodd griw o bobl yn dod allan o un o'r wardiau yn y pen draw. Cerddasant yn gyflym tuag ati, a chibodd hithau i geisio gweld a oedd Marc yn eu plith. Hanner dwsin o bobl mewn cotiau gwynion, a'r un yn y canol yn dalach na'r gweddill. Brasgamu cyfarwydd. Gwallt tywyll. Daeth ei wyneb yn glir iddi. Marc *ydoedd!*

Gwelodd ef Luned yn dynesu ac oedodd am eiliad

i'w gwylio'n feirniadol. "Dylech chi allu cerdded yn well erbyn hyn," meddai'n llym, ac ychwanegu wrth y physiotherapydd, "sbardunwch hi! Mae hi'n gallu bod yn ddiog!"

Pan wanodd llygaid dicllon Luned ef ychwanegodd yn sychlyd, "Jôc, lodes. Y'ch chi'n atgas o egnïol pan y'ch chi gartre. Ewch chi mlaen, fechgyn," ychwanegodd wrth y lleill. "Bydda i gyda chi mewn eiliad."

Nesaodd tuag at Luned, a symudodd y physio-therapydd draw'n ystyriol. "Fe 'wedodd mam wrtho' i am ei hymweliad â chi. Mae'n ymddangos i chi drafod cryn lawer mewn amser mor fyr."

"Rydw i'n hoffi'ch mam, Marc. Mi fuo'n garedig dros ben wrtha i."

"Mae hi'n eich hoffi chi hefyd," meddai Marc. "Mae hi o'ch plaid chi'n gyfan gwbl." Syllodd y llygaid gleision arni, mor debyg i lygaid ei fam.

"Oes angen iddi bleidio?"

"Oes, yn bendant," swniai'n llym. "Mae hi'n credu fod 'da chi achos cryf i achwyn yn f'erbyn i."

Tynhaodd Luned ei gafael yn ei baglau. "Wnes i ddim achwyn, ar fy ngwir, Marc. Dim ond dweud y gwir." Gwridodd dan ei drem amheus ac anghyfeillgar. "Mi hoffwn i i chi gredu'r hyn ddeudais i wrthi," ychwanegodd yn dawel, "ond os na wnewch chi fedra i mo'ch gorfodi chi."

Cododd ei ysgwyddau fel pe na bai ganddo lawer o ddiddordeb.

"Gawn ni roi'r gorau i'r pwnc, Luned?" Yna, wrth iddi droi oddi wrtho: "Un gair arall. Mae 'da Mam duedd i 'weud gormod pan fydd hi gyda rhywun y mae hi'n ei hoffi. Oherwydd ei bod hi ar ei phen ei hunan sut gymaint er marw Nhad, efallai. Garen i i chi gofio hynny."

"Rydych chi'n gas," atebodd Luned. "Mae'ch mam yn annwyl ac rydyn ni'n gwneud yn dda efo'n gilydd. Ewch o 'ngolwg i wir!"

Yn benisel, herciodd oddi wrtho ac ailymuno â'r physiotherapydd.

Dro arall, daeth wyneb yn wyneb ag Aneira. Hoffai fynd i'r ystafell eistedd ambell waith i gael sgwrs â'r cleifion eraill, ac un prynhawn cyrhaeddodd Aneira yno i weld un ohonynt. Yr un eiliad bron trawodd un o'r nyrsys ei phen drwy'r drws.

"Rhywun i'ch gweld chi, Miss Wyn," meddai. "Mrs Ffransis."

Syllodd Aneira ar Luned. "Mrs Ffransis?" gofynnodd. "Nid mam *Marc*, ie fe?" A phan amneidiodd Luned, ychwanegodd, "Wyddwn i ddim eich bod chi'ch dwy wedi cwrdd."

Cododd Luned yn llafurus gyda chymorth un o'r merched eraill. "Mi ddaeth i 'ngweld i dro'n ôl. Mae hi'n garedig dros ben yn trafferthu."

"Ydi, caredig dros ben," cytunodd Aneira. Hynod dros ben hefyd, awgrymai ei thôn.

Ymlusgodd Luned tua'r ward a'i hystafell ei hun. Cododd Mrs Ffransis dan wenu, yn edrych yn hyfryd o brydferth mewn ffrog wlân las golau.

"Rwy'n blês i'ch gweld chi'n gwella cystal, cariad." Dangosodd barsel bychan ar y gwely. "Mae 'da chi sut gymaint o flodau, a mwy o ffrwythau na ellwch chi fwyta! Feddylies i 'falle byddai'n well 'da chi gael llyfr."

Agorodd Luned y papur, yn ddiolchgar iddi am fod mor feddylgar, a gwelodd mai hunangofiant cantores enwog oedd y llyfr.

"Os y'ch chi wedi ei ddarllen e mae'r siop yn fodlon ei ffeirio am un arall."

Troes Luned y dalennau'n hapus. "Naddo, ond roeddwn i'n bwriadu gwneud ryw ddydd. Sut y gwyddech chi fod gen i ddiddordeb mewn cerddoriaeth?"

"Marc 'wedodd. Fe 'wedodd hefyd i chi orfod rhoi'ch gyrfa lan er mwyn gofalu am y teulu." Wrth sgwrsio, canfu Luned er hyfrydwch iddi fod mam Marc yn gerddor amatur brwdfrydig. Eisteddai'r ddwy'n glòs at ei gilydd, ar goll yn eu sgwrs am fiwsig, pan ddaeth cnoc ar y drws. Cerddodd Aneira i'r ystafell.

"Y'ch chi 'ma o hyd 'te, Anti Gwen? Aliech chi roi neges oddi wrthof fi i Marc? Gwedwch wrtho fe na fydda i ddim yn rhydd hyd naw o'r gloch." Tynnodd ei llygaid oddi ar Mrs Ffransis i edrych ar Luned am eiliad cyn syllu unwaith eto ar fam Marc. "Rwy'n mynd i gael te 'nawr. Hoffech chi ddod 'da fi, Anti Gwen?"

Ysgydwodd Mrs Ffransis ei phen. "Diolch, Aneira, ond rwy eisoes wedi cael cwpaned gyda Luned. Fe 'weda i'r neges wrth Marc."

Tu ôl i gefn Mrs Ffransis rhythodd Aneira'n ddig ar Luned.

"Gwela i chi 'to, 'te," meddai o'r diwedd, a chau'r drws gyda chlep.

Câi Luned argraff bendant mai chwilota am neges er mwyn cael dod i mewn i'w gweld a wnaethai Aneira, i geisio tynnu Mrs Ffransis oddi wrthi. Roedd yn gwarafun i Luned y diddordeb a gymerai mam Marc ynddi, yn union fel y buasai'n gwarafun iddi ddiddordeb Marc yn y gorffennol.

"Trueni i Aneira fynnu derbyn y swydd hon," ochneidiodd Mrs Ffransis. "Dy'n nhw'n gweld dim ar ei gilydd bron, a hwythau'n gweithio yn yr un dref."

"Mae hyn yn well na phe bai hi wedi aros yn Llundain," meddai Luned. "Mae'n siŵr fod Marc wrth ei fodd pan wrthododd hi'r swydd yna yno er ei fwyn o."

"'Falle bydde fe pe bai hi *wedi* gwneud hynny," cytunodd Mrs Ffransis yn sychlyd. "'Weden i y bydde fe'n rhyfeddu hefyd, gwlei!" Gwelodd y syndod ar wyneb Luned ac eglurodd. "Fe ymgeisiodd rhywun a chanddo fe fwy o brofiad na hi ar y funud ola'. Roedd hi'n gynddeiriog ulw, a daeth hi lan fan hyn o ddiffyg dim gwell. Feddyliech chi..." Tawodd dan wgu a brathu ei gwefus.

Synnai Luned ei chlywed yn eu trafod mor ddi-flewyn-ar-dafod. Yn amlwg, nid oedd yn rhy hoff o Aneira.

"Dydi hi ddim yn perthyn i chi o ddifri, nac ydi?" gofynnodd. "'Anti Gwen' y galwodd hi chi."

"Enw sydd wedi goroesi o'i phlentyndod. Roedd fy ngŵr a Dai Morgan yn gyfeillion er eu dyddiau ysgol, a Marc ac Aneira hwythau fel brawd a chwaer pan oedden nhw'n fach. A dweud y gwir fe gawson ni gryn syndod..." Oedodd am eiliad, yn ymwybodol, efallai, na ddylai ddatgelu'r gyfrinach, yna aeth ymlaen i siarad â hi ei hun yn hytrach nag â Luned, "Fe gawson ni gryn syndod pan gwympon nhw mewn cariad." Mwy na syndod, meddyliodd Luned, sioc yn nes ati, yn ôl ei golwg. Gwenodd Mrs Ffransis a chyffwrdd â llaw'r eneth. "Fy nhro i i ymddiried ynoch chi nawr, cariad, ond ry'ch chi'n deall Marc mor dda, on'd y'ch chi? Dwedwch wrtha i'n onest 'te, ydych chi'n credu eu bod nhw'n gweddu i'w gilydd?"

Cofiodd Luned rybudd Marc — fod ei fam yn tueddu i ddweud gormod — a theimlodd yn anesmwyth.

"Fedra i ddim dweud. Mae'n debyg eu bod nhw, a hwythau'n 'nabod ei gilydd ers cymaint o amser."

"Gormod! Fe ddylen nhw fod naill ai wedi priodi neu wedi gwahanu erbyn hyn. Ond mae Aneira'n moyn popeth, Marc a'i gyrfa. Gresyn na allai fe gwympo am ryw ferch fach annwyl ac addfwyn a chartrefol."

Pwysodd Luned yn ôl yn erbyn cefn ei chadair a chwerthin er ei gwaethaf.

"Mi fyddai'r hen fwli'n ei gormesu hi'n ddidrugaredd! Mae arno fo angen rhywun rydd sialens iddo fo."

"Oes, yn gwmws. Ry'ch chi'n iawn." Chwarddodd Mrs Ffransis hithau. "'Na ferch synhwyrol y'ch chi, Luned. 'Wedes i wrth Marc ei fod e'n gwneud cam â chi!"

"Do, mi wn, ond choeliodd o mohonoch chi," meddai Luned yn ddigalon. "Biti na wnâi o," ochneidiodd, dan rwbio'i thalcen yn lluddedig.

"Ry'ch chi'n flinedig, cariad," meddai Mrs Ffransis yn syth. "Rwy wedi siarad yn rhy hir." Ar ôl cychwyn codi ar ei thraed, sylwodd eto ar Luned ac aileisteddodd. "Lodes annwyl," ychwanegodd yn bryderus, "ry'ch chi'n llefen! Beth sy'n bod?" Ysgydwodd Luned ei phen a chwilota am hances. "On'd ydw i'n ffôl," aeth Mrs Ffransis ymlaen yn dawel, "yn baldorddi am fy mab ac Aneira. Ry'ch chi'n ei garu fe, on'd y'ch chi? Pam na fyddwn i wedi sylweddoli hynny'n gynt?"

Cododd Luned ei phen i syllu arni'n brudd heb geisio gwadu.

"Ydw," meddai'n drist. "Yn ei garu o'n fawr iawn. Dyna pam nad oes arna' i ddim eisio iddo fo feddwl yn ddrwg amdana i."

"Does 'da fe ddim hawl i'ch condemnio chi,"

atebodd Mrs Ffransis yn fwy llym na'r disgwyl, "hyd yn oed pe bai gwir yn y stori amdanoch chi a'r gŵr ifanc hwnnw." Bu'n dawel am eiliad neu ddwy, yna aeth ymlaen yn araf. "'Falle taw hen-ffasiwn dw i, Luned, ond alla i byth â chymeradwyo ymddygiad Marc ac Aneira."

Ni cheisiodd Luned gymryd arni nad oedd yn deall.

"Ond *maen* nhw wedi dyweddïo. 'Dydi hynny ddim yn wahanol?"

"Nag yw, yn bendant!" cyfarthodd Mrs Ffransis, gan ddangos ei chefndir a'i chenhedlaeth yn amlwg iawn am eiliad. "Fyddech *chi'n* cysgu 'da'ch darpar ŵr cyn priodi?"

Syllodd Luned yn ôl arni, yn ansicr sut i'w hateb, yna penderfynodd ddweud y gwir. "Byddwn, mwy na thebyg, Mrs Ffransis. Fydden ni ddim wedi'n dyweddïo oni bai'n bod ni mewn cariad, na fydden?"

Cuchiodd Mrs Ffransis, ac ofnodd Luned iddi golli tir yn ei golwg. Yna'n annisgwyl, gwenodd. "'Ngeneth annwyl i, rwy'n edmygu'ch onestrwydd chi. Mae'n debyg fod rhaid i 'nghenhedlaeth i ddysgu addasu." Pwysodd ei gên ar ei llaw a syllu drwy'r ffenestr. "Mae Marc wedi dewis cwrs ei fywyd, ond ambell dro rwy'n credu ei fod e'n edifarhau. Ond mae e'n ddyn anrhydeddus. Ar ôl addo'i hunan i Aneira, bydd rhaid iddo'i phriodi..." Ochneidiodd. "Rwy wastad yn siarad gormod, meddai Marc! Gwell i fi fynd, cariad, cyn i fi 'weud dim mwy!"

Cusanodd Luned yn serchog ar ei boch. "Fe alwa i 'to," addawodd.

Wedi iddi fynd, gorweddodd Luned yn ei chadair a meddwl am eiriau Mrs Ffransis. A oeddent yn golygu fod Marc wedi dechrau blino ar Aneira, y carai dorri eu dyweddïad pe câi ddewis? Dywedasai fod ei mab yn ddyn anrhydeddus, a gwyddai Luned mai gwir oedd hynny. Coleddai syniadau digon hen-ffasiwn am deyrngarwch ac ymrwymiad. Byddai'n driw i Aneira.

Ni ddaeth Mrs Ffransis i'w gweld wedyn gan iddi orfod mynd i ffwrdd at ei chwaer a drawyd yn wael yn annisgwyl. Galwodd Marc i egluro rai dyddiau'n ddiweddarach.

"Roedd yn flin 'da hi iddi ffaelu dod i ffarwelio â chi. Mae hi wedi cymryd ffansi mawr tuag atoch chi." Clywodd Luned nodyn sychlyd yn ei lais ac edrychodd i fyny i weld rhyw olwg na allai ei dehongli yn ei lygaid.

"Ond Marc," meddai, "does dim ots gynnoch chi fod eich mam a finnau'n ffrindiau?"

"Gallwn i ateb y cwestiwn 'na'n well pe bawn i'n gwybod yn union *faint* o ffrindiau y'ch chi," sylwodd Marc yn fwy sychlyd fyth. O weld ei hwyneb diddeall, ychwanegodd, "Gall Mam fod yn hynod llac ei thafod. Mewn geiriau plaen, mae hi'n siarad gormod." Teimlodd Luned wrid yn ymledu dros ei bochau dan ei drem dreiddgar. "Roeddwn i'n iawn 'te. Mae hi wedi bod yn cloncan 'da chi, am Aneira a minnau? Allech chi ddim ei rhwystro hi, Luned? 'Wedes i wrthych chi sut un yw hi."

Cododd yn sydyn a brasgamu at y ffenestr. Syllodd Luned ar ei gefn, ei ysgwyddau'n llydan a syth a'i ddwylo o'r golwg ym mhocedi ei gôt wen.

"Mae'n ddrwg gen i, Marc," meddai'n anhapus. "Nid gwaith hawdd oedd rhoi taw arni, cofiwch."

"Oeddech chi ddim yn moyn rhoi taw arni, oeddech chi?" rhuodd Marc. "Y'ch chi fel pob menyw arall, yn ymhyfrydu mewn hela clonc."

"Peidiwch â chyffredinoli mor hurt," cyfarthodd

154

Luned yn ôl, a'i thymer yn dechrau brigo. "Mae'ch mam a finnau'n ymddiddori yn yr un pethau — garddio, cerddoriaeth — rydyn ni ar yr un donfedd. Os digwyddodd hi ddatgelu mwy nag a ddylai..."

"A beth yn union ddatgelodd hi?"

"Dim byd mawr."

"Rwy'n moyn gwybod, Luned."

Cododd Luned ei hysgwyddau'n ddiymgeledd.

"Mae hi'n meddwl ei bod yn hen bryd i chi ac Aneira briodi. Mae hi'n pryderu amdanoch chi, dyna pam yr agorodd ei cheg. Roedd arni angen siarad efo rhywun — ac roeddwn innau ar gael."

"Wrth gwrs," meddai'n annymunol. "Luned fach, yn barod i roi clust i bawb! Gwympes i am y cydymdeimlad triaglaidd 'na fy hunan, on'd do fe?"

"Oes raid i chi fod mor ffiaidd, Marc? Rydw i wedi ymddiheuro, on'd ydw?"

Trawodd Marc y bwrdd ger y gwely'n galed â'i ddwrn. "Dduw mawr!" mwmialodd yn ffyrnig. "Os aiff hyn ymlaen lawer hwy bydda' i'n 'bennu lan yn Ninbych!"

Dinbych? Yn yr ysbyty meddwl? Syllodd Luned arno'n bryderus.

"Marc..."

"Rwy'n mynd, Luned," meddai'n swta a chamu o'r ystafell dan gau'r drws ar ei ôl gyda chlep.

Y noson honno daeth Ceri a Huw i ddweud eu newydd da wrthi. Bwriadent briodi pan orffennai Ceri ei swydd bresennol ddechrau Hydref. Wrth fod gan Huw chwe mis arall i fynd yn ei swydd ef, caent fyw yn un o fflatiau'r ysbyty.

"Rydw i wedi bwcio un yn barod," meddai Huw'n hapus. "Mi ddywedodd yr ysgrifennydd ein bod ni'n lwcus i gael un ar rybudd mor fyr, ond dim ond newydd lwyddo i ddarbwyllo Ceri rydw i."

Gwenodd Luned yn gynnes ar y ddau. "Rydw i'n falch, ydw wir! Ond *mae* o'n fyr rybudd. Fydd posib trefnu'r cwbl mewn pryd?"

"Does arna i ddim eisio priodas fawr," meddai Ceri'n bendant, "na Huw chwaith. Priodas dawel yn swyddfa'r cofrestrydd, a neb ond y teulu a'n ffrindia agosa yn y tŷ wedyn.

"Braidd yn... anffurfiol," meddai Luned yn amheus. "Does arnach chi ddim eisio priodi yn y capel? Efo neithior iawn wedyn?"

Ond atebodd Ceri fod y ddau'n hollol siŵr nad priodas felly a fynnent. Yr eiliad honno cafodd ei galw at y ffôn a gadawodd. Arhosodd Huw i gadw cwmni i Luned, ac ar ôl sgwrsio am funud neu ddau, edrychodd arni'n ddwys.

"Luned..." oedodd yn anghysurus am eiliad, "mae 'na rywbeth y dylwn i ei ddweud wrthyt ti. Rydw i'n gobeithio na wna' i mo dy frifo di, ond mae'n iawn i ti gael gwybod." Cerddodd yma ac acw dan gochi cyn eistedd yn ei hymyl. "Mae pobol yn siarad," meddai'n araf, "amdanat ti a Marc." Syllodd Luned yn gegrwth arno. "Ydi, mi wn," amneidiodd, "mae o'n hollol chwerthinllyd, ond mi welodd un o'r meddygon tŷ o'n rhuthro allan o dy stafell di pnawn, yn amlwg wedi 'i gythruddo. Roedd hi'n clebran am y peth amser swper. Deud fod pobl eraill wedi sylwi hefyd — mai Marc ddaeth â ti i'r ysbyty ar ôl y ddamwain, iddo fo fyw yn dy gartre di am beth amser — mi gododd y cwbl. A'r lleill yn gwrando, ac yn porthi."

"A mi adewaist tithau iddyn nhw hel straeon?"

"Mi wnes i 'ngorau i gau eu cegau nhw," meddai Huw'n anghysurus, "ond mae'r ysbyty 'ma'n berwi o glecs. Doedd Ceri ddim yno, neu mi fasa wedi colli'i limpyn yn llwyr."

"Wyt ti wedi deud wrthi?"

"Naddo. Ond mae hi'n siŵr o glywed o rywle."

A phobl eraill hefyd. Aneira, o bosib, a byddai'n sicr o sôn wrth Marc. Caeodd Luned ei llygaid a gorwedd yn llonydd hollol.

Cyffyrddodd Huw â'i llaw yn ysgafn. "Mae'n ddrwg gen i, Luned. Hwyrach na ddylswn i ddim sôn."

Agorodd Luned ei llygaid. "Na, Huw. Roeddet ti yn llygaid dy le. Pam mae pobl mor ffiaidd? Pwy ddechreuodd y stori?"

"Siân Lewis. Mae hi'n casáu Marc. Mi wrthododd roi swydd iddi, a wnaeth o ddim celu pam, chwaith."

Siân Lewis, y ferch honno fu'n cega amdani hi a Marc o'r blaen. Mi fygythiodd Marc yr adeg honno na châi byth waith ganddo, a chadwodd at ei air.

"Fedra i ddim deall," ochneidiodd Luned. "Pwy feddyliai y medrai doctor fod mor bitw? Mi faswn i'n disgwyl i rywun sy'n dilyn gyrfa fel meddygaeth feithrin gwerthoedd uchel."

Chwarddodd Huw.

"Delfrydydd wyt ti, Luned! Mae 'na feddygon annymunol i'w cael yn union fel mae 'na gleifion annymunol. Ar un wedd mae'n ddrwg gen i dros Siân. Mae hi'n ferch anhapus, ac amhoblogaidd hefyd. Dyna pam mae hi mor sbeitlyd."

"Digon hawdd i ti hel esgus drosti, fi sy'n diodde. Mae hi'n ffiaidd, yn haeddu bod yn amhoblogaidd. Rydw i wedi blino, braidd, Huw. Mi af i 'ngwely rŵan, am wn i."

Gorweddodd yno am amser hir, yn bryderus a digalon. Beth a ddigwyddai pe clywai Marc ac Aneira'r holl straeon? Ni allai adael i enw da Marc gael ei bardduo ac yntau newydd gael ei benodi'n ymgynghorydd. Penderfynodd ofyn i'r meddyg esgyrn adael iddi fynd adref — ar unwaith os gallai, neu ddiwedd yr wythnos fan bellaf.

PENNOD 12

Yn y diwedd aeth Luned adref ddydd Sadwrn olaf Medi, fis union cyn priodas Ceri. Rhaid oedd i'r llawfeddyg esgyrn ei gweld cyn y câi adael, a chan nad oedd ef yn rhydd hyd y prynhawn, bu raid iddi loetran yn yr ysbyty drwy'r bore. Wedi iddo roi caniatâd iddi fynd, powliodd un o'r porthorion hi mewn cadair olwyn i gartref y meddygon preswyl i chwilio am Ceri a Huw, a fwriadai ei danfon adref yn y car.

Yn yr ystafell gyffredin disgwyliai Alun Huws hi.

"Fyddan nhw ddim yn barod am ryw awr, mae arna' i ofn. Mae Huw yn y theatr efo Marc Ffransis, a Ceri'n gweithio yn lle rhywun sy'n sâl."

"Dim gwahaniaeth," meddai Luned. "Bore 'ma roeddan nhw wedi addo mynd â fi, ond mi fynnodd Mr Carter gael fy ngweld i cyn i mi adael." Gwenodd ar Alun. "Mae o wedi bygwth fy nhynnu fi'n ôl i'r ysbyty os na fydda' i'n dal i wella'n dda pan ddo' i i'r clinic yr wythnos nesa."

Amneidiodd Alun i gytuno. "Mae o'n hollol iawn, a chofia di ddilyn ei gyfarwyddiada' fo. Mae pobl yn colli tir yn aml ar ôl mynd adre achos eu bod nhw'n rhy ddiog i wneud eu hymarferiadau. Pa mor aml y byddi di'n dod am dy physio?"

"Deirgwaith yr wythnos. Mi gaf gar i ddod."

"Mi ddo i â ti pan fedra i," meddai Alun yn syth. "Gymri di baned o de i ddisgwyl?"

Bwriadai ei phowlio i'r ystafell fwyta, ond mynnodd Luned gerdded gyda'i baglau. Hwy eu dau oedd y rhai cyntaf i gyrraedd y bwrdd mawr yn y ffenestr, ond mewn ychydig funudau roedd yn llawn.

Siarad siop a wnâi'r meddygon, er gwaethaf presenoldeb Luned, ond gan ei bod hithau wedi hen arfer gyda Ceri a'i ffrindiau cymerai ddiddordeb byw yn eu sgwrs. Roeddent yn griw cyfeillgar, ond diolchai Luned nad oedd Siân Lewis yn eu plith. Buasai ymgomio â hi wedi gwneud iddi deimlo'n annifyr.

"Pa bryd cawn ni noson gerddorol eto?" gofynnodd y tenor a fuasai'n canu i gyfeiliant piano Luned yn y parti dro'n ôl.

Gwenodd Luned.

"Ddim am sbel, mae arna i ofn. Fedra i ddim pwyso pedalau'r piano am beth amser."

"Cynt nag y'ch chi'n meddwl, 'falle," meddai Marc o'r tu ôl iddi. Dododd ei law ar ei hysgwydd. "Byddai'n physiotherapi ardderchog, Luned fach."

Teimlodd ei chorff yn ymsythu wrth iddo'i chyffwrdd a fflamiodd ei hun am ddechrau cochi.

"Helo, Marc," murmurodd heb droi. "Meddwl eich bod chi yn y theatr."

"Mae fy nghofrestrydd i'n 'bennu." Tynnodd Marc gadair oddi wrth fwrdd arall ac eistedd yn ymyl Luned. "Balch o fynd gartre 'te?"

"O, ydw!" Swniai ei llais yn orlawn o ryddhad a chododd yntau ei aeliau.

"Oedd e cynddrwg â 'ny? Fe gawsoch chi'ch trin yn bur dda, 'weden i — stafell i chi'ch hunan, a mwy o ymwelwyr na phawb arall."

"Mi wn i hynny, Marc, a rydw i'n sylweddoli mor lwcus ydw i fod gen i chwaer sy'n feddyg. Ond waeth pa mor dda mae rhywun yn cael ei drin, mae rhywun yn 'laru ar fywyd ysbyty."

Gwenodd Marc yn anghrediniol. "Beth, blino ar yr holl feddygon ieuainc 'ny? Mae'r ymgynghorwyr yn achwyn fod y bechgyn yn esgeuluso'u gwaith i ddod i'ch gweld chi!''

Chwarddodd pawb, a gwenodd Luned braidd yn swil.

"Gymrwch chi de, syr?" gofynnodd Alun, ac amneidiodd Marc.

"Diolch, Huws." Llithrodd i'r gadair y coc'sai Alun ohoni, er mwyn bod yn nes at Luned. "Mae Mr Carter yn gweud eich bod chi'n dod 'mlaen yn ardderchog. Yr asgwrn yn asio'n dda a'r cyhyrau'n cryfhau."

Cyffyrddwyd teimladau Luned o glywed ei fod wedi ymdrafferthu i holi amdani. Troes tuag ato'n sydyn, ac edrych arno am y tro cyntaf.

Gwisgai siwmper ddu anffurfiol a gwddw uchel iddi. Roedd ei wallt yn wlyb ar ôl y gawod a gawsai ar ôl rhoi llawdriniaeth, a'i lygaid gleision treiddgar yn llawn gofal a chyfeillgarwch, fel pe bai wedi gollwng y tro olaf iddynt gyfarfod dros gof yn llwyr. Nid oedd Luned wedi anghofio, fodd bynnag. Edrychodd o'i chwmpas yn gyflym i weld fod pawb arall wedi ymgolli yn eu sgwrsio, a mentrodd.

"Marc, rydw i'n falch o gael eich gweld chi cyn i mi fynd. Hoffwn i ddim i ni wahanu ar delerau drwg."

"Na wnelech chi, Luned? Ry'ch chi wedi maddau i fi am fod mor gas 'te?" Tynnodd wyneb pan edrychodd hi'n syn arno. "Doedd dim hawl 'da fi siarad mor ffiaidd â chi."

"O Marc," sibrydodd, "roeddwn inna ar fai hefyd."

Bu tawelwch am eiliad.

"Luned annwyl," meddai Marc yn ysgafn. "Mae mam yn iawn, ry'ch chi'n un o fil!"

Roedd eu cadeiriau mor glòs nes peri i'w hysgwyddau gyffwrdd â'i gilydd. Wrth syllu i wyneb

161

brown, golygus Marc, anghofiodd Luned bawb arall yn llwyr. Plygodd yn nes ato er mwyn gallu ei glywed yn well, a daliodd ei gwynt o weld yr olwg yn ei lygaid. Disgleirient ag anwyldeb a thynerwch. Ac â hiraeth?

"O, Marc..." sibrydodd, yna brawychodd o glywed llais clir, gwawdlyd, o'r bwrdd nesaf.

"Does ganddi hi ddim rhithyn o falchder. Edrychwch arni hi! Pe bawn i'n lle Aneira..."

"O, cau dy geg, Siân," meddai llais dyn yn gras. "Rwyt ti wedi creu digon o ddrwg yn barod."

Mwy na thebyg na fyddai llawer wedi clywed sylw Siân Lewis oni bai i'r sgwrs, drwy ryw anffawd, ddigwydd distewi'n sydyn. Yr union eiliad y cododd hi ei llais, nid oedd neb yn dweud dim.

Ni sylwasai Luned arni'n dod i eistedd wrth y bwrdd bach. Brathodd ei gwefus a syllu'n resynus ar Marc, dan weddïo nad oedd ef wedi deall. Bu distawrwydd anghysurus, a gwyddai Luned fod pawb yn gwrando'n astud.

Tynhaodd wyneb Marc yn galed a dicllon. Trodd yn araf ar ei gadair i syllu'n ddiysgog ar Dr Lewis, a throes lliw y ferch. Rhoesai canlyniad ei geiriau ysgytwad amlwg iddi: nid oedd wedi disgwyl i Marc eu clywed. Estynnodd ei llaw am damaid o deisen.

Pan siaradodd Marc roedd ei lais yn iasol. "Wnewch chi egluro, Miss Lewis?"

Gollyngodd Siân ei llaw at ei hochr, a chwarddodd yn wirion.

"Dim ond siarad efo fy ffrindiau, Mr Ffransis. Doeddwn i ddim yn disgwyl i chi glywed."

"Prin y gallen i ffaelu'ch clywed chi," meddai Marc yn oeraidd. "Beth oedd ystyr y geiriau?"

"D-dim byd, mewn gwirionedd," petrusodd y

ferch dan wrido'n chwyslyd. Estynnodd am damaid
o'r gacen unwaith eto, a'i friwsioni'n nerfus.

Daliodd Marc i syllu arni.

"Peidiwch â chodi twrw, plîs," sibrydodd Luned.
"Anwybyddwch hi," ond eisoes gwthiasai Marc ei
gadair yn ôl.

"Rwy'n moyn gair â chi, Miss Lewis. Tu fas."
Dechreuodd hofran uwchben y ferch, a oedd yn
amlwg wedi dychryn am ei bywyd. Cododd yn
gyndyn a'i dagrau ar fin llifo, a gafaelodd Marc yn
ei hysgwydd.

Chwibanodd rhywun fel yr aent allan.

"Arglwydd mawr! Fynnwn i er dim fod yn ei
sgidia' hi!"

"Eitha gwaith â'r hen ast! Roedd hi'n gofyn
amdani!"

Ciledrychai pobl yn chwilfrydig ar Luned i weld
sut y teimlai. Eisteddodd Alun yng nghadair Marc
a rhoi'i fraich am ei hysgwyddau.

"Mae'n ddrwg gen i! Sobor o ddrwg! Am beth
uffernol i ddigwydd!"

Ceisiodd Luned ei gorau i gadw wyneb. Pe bai'n
dangos ei bod wedi cynhyrfu ni wnâi ond creu rhagor
o sôn amdani ei hun. Hiraethai am weld Ceri a Huw
yn cyrraedd er mwyn iddi gael gadael. Gobeithiai na
ddôi Marc yn ei ôl. Ond fe'i siomwyd. Brasgamodd
i'r ystafell a'i wyneb yn stormus, a thywallt cwpanaid
arall o de iddo'i hun. Gofalodd y meddygon osgoi
edrych arno a dechreuasant sgwrsio ymysg ei gilydd.
Ymunodd Marc â Luned ac Alun heb yngan gair.
Eisteddodd dan droi ei de a gwgu ar ei gwpan mewn
distawrwydd llethol. Chwiliodd Luned am rywbeth
i'w ddweud er mwyn torri'r tyndra.

"Gweithio efo chi roedd Huw y pnawn 'ma?"

Nid atebodd Marc. Aeth rhai o'r meddygon allan,

163

yna gwelodd Luned y rhai a oedd ar ôl yn rhythu tua'r drws. Ceisiodd droi i weld pwy a oedd yno.

Aneira! Safodd am eiliad, yn syth a phenuchel fel arfer, a syllu o'i chwmpas. Roedd ei gwefusau'n dynn a gwrid ysgafn ar ei gruddiau.

"O'r nefoedd," ochneidiodd Alun.

Nid oedd unrhyw amheuaeth na chlywsai Aneira ryw si ym mrig y morwydd. Gostyngodd Luned ei golygon a gweddïo na chodai helynt eto. Wedi oedi ennyd, daeth Aneira ar draws yr ystafell ac eistedd yn eu hymyl. Edrychodd i fyw llygaid Marc.

"Helô, cariad. Mae'n ddrwg 'da fi fod yn ddiweddar." Yna meddai wrth Luned: "Ry'ch chi'n cael mynd gartre 'te, Luned? Ry'ch chi'n falch, rwy'n siŵr."

Gwyliai'r meddygon hwy'n awchus mewn distawrwydd. Ond os oeddent yn ofni, neu efallai'n gobeithio, gweld brwydr arall, fe'u siomwyd. Bu ymddygiad Aneira'n ddifrycheulyd. Rheolodd y sgwrs mewn modd tan gamp, a'i llywio ar hyd lwybrau hollol ddiniwed.

Ni fuasai Luned erioed yn hoff ohoni, ond am unwaith fe'i hedmygai â'i holl galon. Nid oedd amheuaeth na wyddai Aneira'r cyfan; gellid gweld hynny ar ei hwyneb pan ddaethai i'r ystafell. Ond bu'n ddewr ac urddasol. Nid oedd am adael i'w chyd-weithwyr amau ei bod wedi cynhyrfu, ac ni fynnai ei hiselhau ei hun drwy golli ei thymer ymysg pobl.

"Mae'n rhaid ei bod hi'n fy nghasáu i," meddyliodd Luned druan, dan ymdrechu'n galed i gadw'i hunanfeddiant ac eiddigeddu wrth hyder Aneira. Ochneidiodd ei rhyddhad pan awgrymodd Alun fynd i'r ystafell gyffredin i aros am Huw a Ceri. Cynorthwyodd hi i godi ar ei thraed gan ei bod yn dal braidd yn afrosgo wrth geisio sefyll. Ymbalfalodd am ei baglau a ffarwelio'n lletchwith â Marc ac Aneira cyn troi am y drws gyda braich Alun yn ei chynnal.

"Byddwch yn ofalus," meddai Marc yn dawel.

Chwythodd Alun yn ddiolchgar ar ôl mynd allan. "Whiw! Diolch byth fod hynna drosodd. Fu gen i erioed lawer i'w ddweud wrth y ddynes, ond mi gadwodd ei limpin yn berffaith on'd do?"

"Do, chwarae teg iddi," cytunodd Luned. "O, Alun, sut y clywodd hi mor fuan?"

"Rhyw hen robin y busnes yn meddwl y dylai hi gael gwybod." Tynhaodd braich Alun. "Mae'n ddrwg sobor gen i, Luned. Mi fyddai'n well i Ffransis fod wedi peidio codi twrw."

"Wyt ti'n credu y dylai o adael i Siân ddeud be' fynnai hi?"

"Mi fasai'n ddoethach ei hanwybyddu hi. Mi fydd pawb yn meddwl rŵan fod ei honiadau hi'n wir."

Agorodd ddrws yr ystafell gyffredin a diolchodd Luned ei bod yn wag. Eisteddodd a phwyso'i phen yn erbyn cefn ei chadair i syllu ar y nenfwd.

"Nid un felly ydi Marc, Alun. Mae'n well ganddo fo fod yn berffaith agored."

"Ydi, mi wn, ac rydw i'n ei edmygu o ar un wedd. Ond mi ddylsai feddwl amdanat ti."

"Mae'r cwbl drosodd rŵan," meddai Luned yn ddiolchgar.

Difethodd yr helynt ei phleser o gael dychwelyd adref braidd, ond cyffyrddwyd hi gan gynhesrwydd ei chroeso. Neidiodd Blodyn hyd-ddi'n wallgof. Suddai'r haul yn goch tua'r gorwel gan danio ffenestri Pen Bryn. Yn disgwyl amdani wrth y drws yr oedd ei thad a Siwan a Geraint, gyda Mrs Davies y tu ôl iddynt. Cododd Huw a Ceri hi'n fuddugoliaethus dros y trothwy a'i chludo i'r parlwr! Daethant â'i gwely i lawr rhag iddi orfod dringo'r grisiau.

"Rhag ofn i ti gael damwain eto," eglurodd Siwan.

"O, mae'n braf cael bod adre!" Caeodd Luned ei hamrannau. Nid y pleser o gael bod yn ei chynefin oedd yr unig beth a barai iddi deimlo'n ddagreuol, ond y rhyddhad o gael gwared o'r tyndra o'i chorff. Er nad oedd yn fodlon cyfaddef hynny, cawsai ei chynhyrfu'n lân gan yr helynt gyda Siân Lewis.

Daeth Mrs Davies i ffarwelio â hi. "Amser nôl y plant — mae Mam yn eu gwarchod nhw heddiw. Peidiwch chi â phoeni rŵan, Miss Wyn, mi arhosa i tra bydd f'angen i."

Roedd hynny'n rhyddhad hefyd, a dylasai Luned deimlo'n hapus dros ben. Ond wedi i'r berw cyntaf dawelu daeth ton o ddigalondid drosti. Gadawsai pawb hi ar ei phen ei hun, ac eisteddai o flaen y ffenestr yn syllu ar yr ardd a garai gymaint, yn ceisio cynefino â'r ffaith na welai ond ychydig iawn ar Marc bellach. Oherwydd yr holl siarad ni fyddai'n debyg o ddod i chwilio amdani. Nid oedd ganddynt unrhyw esgus dros drefnu i gyfarfod chwaith felly ni allai obeithio am ddim ond taro arno ambell dro pan âi am ei physiotherapi. Pe bai ganddi rywfaint o synnwyr yn ei phen bodlonai ar y sefyllfa. Peth cas oedd clywed pobl yn sôn amdani fel y ferch a ddaethai rhwng Marc a'i gariad. Pe bai ganddi rywfaint o synnwyr! Ond yn achos Marc roedd ei chalon yn drech na'i phen, a hiraethai am ei weld, petai ond am eiliad.

Er na allai gynorthwyo llawer â'r gwaith caled gartref bu Luned yn eithaf prysur. Roedd ganddi lythyrau oddi wrth ddarpar ymwelwyr i'w hateb, dillad i'w trwsio, a chant a mil o orchwylion ysgeifn i lenwi'i dyddiau. Bu raid iddi adael gwaith y tŷ a'r garddio i'r lleill, gan fod Mr Carter yn ei gwahardd rhag rhoi pwysau ar ei choes.

Ni thrawodd ar Marc o gwbl wrth ymweld â'r ysbyty, ac yr oedd dydd priodas Ceri'n cyflym nesáu. A ddôi Marc? A gawsai wahoddiad? Gofynnodd a gâi weld rhestr y gwahoddedigion, dan geisio swnio'n ddidaro.

Gwenodd Ceri, a ddaethai adref am awr neu ddwy, ac ateb nad oedd ganddynt restr. ''Mi wyddon pwy sy'n dod, fwy neu lai. Rhyw ddwsin o berthnasau, a rhyw ugain o'r ysbyty.''

''Ydi Marc yn dod?'' gofynnodd Luned.

''Mae o'n gweithio y diwrnod hwnnw. Hwyrach y medrai o ffeirio efo rhywun pe bai arno fo eisio, ond dydi o ddim yn hen ffrind, mewn gwirionedd, ydi o?''

''Nac ydi, wrth gwrs,'' cytunodd Luned dan ochneidio, ac ychwanegodd Huw fod Marc ar bigau'r drain y dyddiau hyn. Roedd pawb wedi sylwi.

''Am fod Aneira wedi mynd, mwy na thebyg,'' meddai Ceri, a gofynnodd Luned yn frysiog:

''Wedi mynd? I ble?''

''Be' wn i? Wedi gorffen y swydd dros dro acw, neu gael cynnig un weli yn rhywle arall. Neu hwyrach ei bod hi wedi cael llond bol ar y straeon gwirion yna amdanat ti a Marc.''

''Mae'n bosib ei bod hi'n cymryd gwyliau i drefnu ei phriodas,'' awgrymodd Luned, yn falch o allu ynganu'r geiriau mor dawel.

''Ydi, ddigon posib. Mae'n siŵr fod arnyn nhw eisio rhoi'r farwol i'r straeon cyn gynted ag y medran nhw.''

Cafodd Ceri rwydd hynt ar ei diwrnod mawr. Pan gododd pawb yn y bore roedd niwl trwchus yr hydref wedi cau am bobman, ond cliriodd yn llwyr erbyn un ar ddeg gan adael haul llachar i wenu ar y fodrwy. Wedi'r seremoni yn swyddfa'r cofrestrydd dychwelodd pawb i Ben Bryn. Poenai Luned oherwydd na allai gynorthwyo gyda'r gwaith.

"Eistedda di yn fan 'na, ac edrych yn ddel," meddai Huw wrthi. Daeth â'i rieni i gadw cwmni iddi a mynd yn ôl at ei wraig newydd sbon.

Edrychai Ceri'n brydferth heddiw, ei llygaid yn disgleirio a'i gruddiau'n wridog. Gwisgai ffrog laes o liw hufen, wedi'i chrychu mewn modd a wnâi i'w chorff main ymddangos yn llawnach. Yn amlwg iawn, roedd mewn cariad dwfn â'i phriodfab, ac er fod Luned yn dymuno pob hapusrwydd iddi, ar yr un pryd teimlai'n eiddigeddus ohoni. Dyfodol digon gwag a ymestynnai o'i blaen hi ei hun. Blynyddoedd o waith caled yn gofalu am y tŷ nes dôi Siwan a Geraint yn ddigon hen i adael cartref. Gallent symud i dŷ llai wedyn, ond erbyn hynny byddai'n rhy hwyr iddi ailafael yn ei gyrfa gerddorol. Ac roedd ganddi gymaint o obaith syrthio mewn cariad ag o gael trip i'r lleuad! Atgoffodd ei hun fod rhai bodau prin *yn* cael hwylio i'r gofod. Tybed, felly, tybed, a allai hithau garu eto?

"Ydych chi'n iawn, Luned bach?" gofynnodd mam Huw a'i thynnu o'i byd bach ei hun.

"Wedi blino tipyn, Mrs Williams." Esgus da oedd y ddamwain pan ymddangosai'n ddifywyd.

Fe'i defnyddiodd eto'n hwyrach, wedi i Ceri a Huw adael am Fanceinion i ddal yr awyren a'u cludai i wlad Groeg ar eu mis mêl. Ni theimlai fel treulio oriau gyda'r teulu, ac roedd arni lai fyth o awydd mynd i barti yn yr ysbyty er gwaethaf taerineb y meddygon.

"Dos yn dy flaen," meddai Siwan, "i minnau gael mynd hefyd."

Edrychai'n hyfryd mewn gwisg wen rwyllog gyda rhubanau glas drwyddi, a sylwodd Luned dan wenu na allai Alun dynnu ei lygaid oddi arni. Croeso i'w chwaer fach ohono, meddyliodd. Er mor hoff oedd hi ei hun ohono, gwyddai na allai fyth ei garu. Penderfynodd hyrwyddo'r achos.

"Mi fedri di fynd hebof fi," gwenodd, a llonnodd Siwan.

Gwrthwynebai Mr Wyn braidd, gan fod Siwan ychydig yn ifanc i fynd i barti oedolion. "Ac mae partïon meddygon yn waeth fyth," gwgodd.

Chwarddodd Luned. "Does gynnoch chi ddim llawer o feddwl o broffesiwn Ceri, Dad! Nid myfyrwyr ydyn nhw. Maen nhw'n ddynion a merched yn eu man!"

"Yn hollol," rhuodd ei thad, "plentyn ydi Siwan o hyd."

"O, mi edrychith Alun ar ei hôl hi, wnaiff o ddim gadael iddi wneud dim byd gwirion. Gadewch iddi fynd, Dad!"

Ildiodd yn y diwedd, braidd yn gyndyn, ac fel y gadawent, syllodd yn chwilfrydig ar ei ail ferch.

"Roeddwn i'n meddwl dy fod di'n canlyn Alun, Luned. Does dim ots gen ti ei weld o'n rhedeg ar ôl Siwan?"

Gwenodd hithau ac ysgwyd ei phen. Gafaelodd ei thad amdani a'i chofleidio.

"Wel, 'nghariad bach i, mi ddylai fod gen tithau rywun hefyd. Rwyt ti'n ifanc ac yn ddel, a dyma ti, yn ymddwyn fel petaet ti'n hen gant!"

"Disgwyl am y Dyn Iwan!" cellweiriodd Luned, a mynd ati i droi'r stori. Diolchodd o weld Anti Mair yn dod atynt.

Bwriadai ei hewythr a'i modryb aros dros nos, er fod pawb arall wedi ymadael tua saith o'r gloch. Aeth Luned i'w gwely'n gynnar, ac ar ôl troi a throsi am oriau cysgodd yn hwyr fore trannoeth. Cafodd fraw o weld faint o'r gloch oedd hi pan ddaeth Siwan a chwpanaid o de iddi a chyhoeddi fod Yncl Wil ac Anti Mair ar fin cychwyn.

"O'r nefoedd, mae'n ddrwg gen i!" ebychodd Luned dan eistedd a llowcio'i the.

"Popeth yn iawn," meddai Siwan. "Mae gen ti fwy o hawl na neb i gysgu'n hwyr! O, mi ges i noson anfarwol neithiwr, Lun!" Eisteddodd ar droed y gwely a golwg freuddwydiol yn ei llygaid. "Dwyt ti ddim yn ffansïo Alun o ddifri, wyt ti?" gofynnodd yn bryderus, a rhoes ochenaid o ryddhad pan gadarnhaodd Luned nad oedd. "Dwi'n ei leicio fe'n arw iawn, a... a dwi'n meddwl ei fod yntau'n fy leicio finnau hefyd." Edrychai'n ifanc ac ansicr, a theimlodd Luned yn anesmwyth am funud. Ond byddai Siwan yn ddwy ar bymtheg cyn hir, roedd yn tyfu i fyny'n gyflym. A gellid dibynnu ar Alun i beidio â chymryd mantais arni.

Gwisgodd Luned amdani cyn gyflymed ag y gallai a mynd allan at weddill y teulu. Roedd Anti Mair wrthi'n brysur yn siarsio Geraint i weithio'n galed yn yr ysgol, siars nad oedd damaid o'i hangen arno a gwgai yntau'n hyll arni!

"Yr hen jolpan wirion," mwmiodd fel y gadawai'r Rover y buarth.

"Trio bod yn glên mae hi," meddai Luned yn garedig. "Helpa fi i gerdded at y fainc yn ymyl y pwll, Geraint." Roedd y llwybr braidd yn garegog ac ofnai syrthio eto.

Gafaelodd ei brawd yn ei braich a'i harwain at y fainc bren ger y pwll.

"Oes arnat ti eisio'r papur, Luned? Neu lyfr neu rywbeth?"

"Dim diolch, pwt. Mi stedda i yn fan 'ma am dipyn."

"Pethau od ydi genod," rhyfeddodd Geraint. "Fedrwn i ddim eistedd yn gwneud dim byd."

Gwenodd Luned fel y diflannai heibio'r prysgwydd. Ar un adeg buasai hithau wedi cytuno; ers talwm ni fyddai ganddi fawr i'w ddweud wrth eistedd a meddwl. Erbyn hyn, ar ôl pum wythnos o gaethiwed yn yr ysbyty, câi gysur mawr wrth synfyfyrio yn awyr iach yr ardd.

O gofio'i bod yn fis Hydref, roedd yn ddiwrnod eithaf cynnes, heb awel o wynt. Mwynhâi Luned syllu ar goch lili'r dŵr ac aur y pysgod yn nŵr y pwll. Llithrodd geiriau ei thad yn ôl i'w chlyw. Oedd hi'n ymddwyn fel pe bai'n hen gant? Oedd hi'n mynd yn hen ferch? Am syniad twp! Dwy ar hugain oedd hi wedi'r cwbl, ac yn weddol ddel. Fe âi allan gyda dynion eto pan gâi gyfle, a cheisio byw bywyd normal. Ni adawai i anobaith y cariad hwn a'i hysai ddifetha'i bywyd. Pwysodd ei gên ar ei llaw a syllu i'r pwll. Roedd wedi ymgolli cymaint yn ei myfyrdod fel na chlywodd sŵn traed yn dynesu ar hyd y llwybr cerrig.

"Helô, Luned!" Cododd ei phen yn sydyn, a gweld Marc yn sefyll yr ochr draw i'r pwll yn ei gwylio'n ddyfal. Er i'w phen fod yn llawn ohono eiliad ynghynt, syfrdanwyd hi gymaint o daro arno mor annisgwyl nes methu ag yngan gair. Sobrodd wyneb Marc braidd. Gwthiodd ei ddwylo i'w bocedi a sodrodd ei sawdl yng nghanol clwmp o flodau Mihangel.

"Peidiwch," meddai Luned yn frysiog. "Rydw i'n ceisio tyfu'r rheina ers oes."

Edrychodd i lawr a symud ei sawdl gan ymddiheuro.

"Roeddwn i'n meddwl eich bod chi'n gweithio dros y Sul," ychwanegodd Luned, ac ysgydwodd yntau ei ben.

171

"Dim ond gweithio yn lle un o'r meddygon eraill brynhawn ddoe. Wedi trefnu cyn cael gwybod dyddiad priodas Ceri."

"Beth? Fasech chi wedi dod i'r briodas petaech chi'n medru?"

Daeth golwg syn i'w wyneb. "Wrth gwrs y byddwn i, lodes. Chi oedd fy nghyfeillion cyntaf i lan fan hyn."

"O, Marc! Rydych chi'n garedig iawn, o gofio sut roedd pethau mewn gwirionedd!"

"Peidiwch â bod mor hurt, Luned." Ni wnaeth unrhyw osgo i symud at ei hochr er fod digon o le ar y fainc. Edrychai'n hynod ddeniadol â'r haul yn sgleinio'i wallt du, trwchus. Deniadol ac anghyraeddadwy.

"Pam daethoch chi yma, Marc?" gofynnodd Luned yn anwastad, ac edifarhau'n syth. Onid oedd ef newydd ddweud wrthi mai hwy oedd ei ffrindiau cyntaf yn yr ardal? Gellid disgwyl iddo ddod i edrych amdanynt. Yna trawodd syniad arall hi.

"Ddaeth Aneira hefyd?" gofynnodd. Ni chafodd ateb am funud. "Efo'r lleill mae hi, Marc?"

O'r diwedd cerddodd tuag ati ar hyd ymyl y pwll, ac eistedd wrth ei hochor.

"Mae Aneira a minnau wedi gwahanu," meddai'n dawel. "Dy'n ni ddim yn mynd i briodi."

Gwyddai Luned bellach pam y daethai — am dipyn o gydymdeimlad, i gael bwrw'i fol. Gallai ddibynnu arni i wrando arno.

"O, Marc, mae'n ddrwg gen i." Oherwydd ei bod yn ei garu, roedd arni eisiau iddo fod yn hapus, er y golygai hynny dristwch iddi hi ei hun.

"Ddim 'da fi," meddai Marc yn llym, ac o'i gweld yn syllu arno, ychwanegodd, "ddim yn flin 'da fi, Luned." Siaradai'n gwta, gan dorri'i eiriau.

Edrychodd yn syth i'w hwyneb, a dechreuodd ei chalon guro'n gyflymach pan welodd yr olwg yn ei lygaid. "Rwy wedi hiraethu am iddi dorri'n dyweddïad ni ers wythnosau — ers misoedd hyd yn oed."

"Ond... pam?" Ni allai ond sibrwd.

"Ry'ch chi'n gwybod pam. Peidiwch ag esgus nad y'ch chi ddim."

Teimlai Luned ryw dyndra yn ei bron, a rhuo mawr yn ei chlustiau. A'r heulwen yn rhy ddisglair.

"Luned!" Dôi llais Marc o bellter. "Beth sy'n bod? Ry'ch chi wedi cynhyrfu. Roeddwn i'n credu, ar ôl clywed yr hyn 'wedodd Mam, y byddech chi'n falch."

Gafaelodd yn ei hysgwyddau a'i thynnu tuag ato, a phwysodd hithau ei phen yn ei erbyn. Ni allai gredu hyn o gwbl!

"Rwy'n dy garu di, Luned," meddai Marc. "Rwy'n gwybod byth er y dydd ofnadwy 'ny pan gwympest ti o'r goeden. Roeddwn i'n gwybod 'ny ynghynt mewn gwirionedd, ond na allwn i ddim cyfaddef oherwydd Aneira."

Aneira! Ymystwyriodd Luned yn annifyr.

"Marc, ydi hi'n drist ofnadwy? Pryd dywedaist ti wrthi hi?"

"Y dydd y gadewaist ti'r ysbyty. Hi soniodd gyntaf, gofyn i fi'n syth oeddwn i mewn cariad 'da ti. A phan 'wedes i 'mod i, doedd hi ddim yn synnu llawer."

"Ond... doedd hi ddim yn ddychrynllyd o anhapus?" Byddai ei llawenydd hi ei hun yn siŵr o bylu pe bai'n euog o beri tristwch i ferch arall.

"Rwy'n amau iddi gael rhyddhad, mewn gwirionedd," gwenodd Marc. "Camgymeriad oedd ein dyweddïad, fe allwn ni'n dau weld 'ny'n awr. Mae hi'n ceisio am swydd dramor. Fe'i caiff hi hefyd. Meddyg yw Aneira yn ei chalon, nid gwraig tŷ.''

Ac eto... roedd hi *yn* ddig wrth Luned. Eisiau hawlio Marc yn hytrach na'i garu, efallai? Un o feiau mwyaf cyffredin dynolryw a chawsai Aneira fwy na'i siâr o'r rheini i'w handwyo, er fod daioni ynddi hefyd — ei hymgysegriad i'w gwaith, ei hurddas, a'i dewrder.

"Doeddwn i ddim yn ei hoffi hi ar un adeg,'' meddai Luned yn araf, "ond rydw i wedi ailfeddwl.'' Swniai'r geiriau'n rhyfedd iddi ac ychwanegodd yn frysiog. "Nid yn unig achos ei bod hi wedi dy ollwng di'n rhydd. Mi fu'n wych ynglŷn â'r hen helynt honno efo Dr Lewis.''

Cawsai Marc fwy na digon ar drafod Aneira. "Pryd cawn ni briodi, cariad?''

Gallai weld ei holl galon yn ei llygaid wrth iddi syllu arno.

"Gyda medra i gerdded yn iawn. Does arnat ti ddim eisio dy briodferch ar faglau!''

Gwasgodd y ddau ei gilydd yn dynn dan chwerthin yn hapus. Yna sobrodd Marc yn sydyn a symud Luned draw yn dyner.

"Rwyt ti'n sylweddoli, cariad, y bydd 'na gryn dipyn o gloncan yn yr ysbyty?''

"Dim ots gen i,'' meddai Luned yn bendant.

"Rhyfeddod undydd fydd e, wrth gwrs, ond fe all fod yn annymunol am sbel fach.''

"Dim ots gen i,'' meddai Luned eto, yna dechreuodd bryderu am adwaith Ceri. Ysgubwyd ei phryder o'r neilltu gan eiriau nesaf Marc.

"Dere 'mlaen 'te, i ni gael gweud wrth weddill y teulu.'' Cododd hi yn ei freichiau a brasgamu ar hyd y llwybr.

"Marc, y baglau! Fedra i ddim gwneud hebddyn

nhw. Cha i ddim sefyll ar fy nhraed eto."

"Does dim rhaid i ti," atebodd Marc. "Fe elli di bwyso arnaf fi." Gydag ochenaid fodlon, ymlaciodd Luned yn ei freichiau.

Roedd Geraint yn stwra gyda radio dransistor ar y lawnt o flaen y tŷ. Pan welodd Luned ym mreichiau Marc neidiodd ar ei draed mewn braw.

"Be' sydd? Ydi hi wedi brifo eto?"

"Nag yw, Geraint." Dododd Marc hi i eistedd ar y wal isel yn ofalus, a gwenu ar ei ddarpar frawd-yng-nghyfraith. "Mae Luned a minnau'n mynd i briodi, a thi yw'r cyntaf i gael gwybod."

Daeth golwg ddiddeall i wyneb Geraint i ddechrau, ac yna dicter. "Dydi hynna ddim yn ddigri," meddai'n sarrug. "Rydych chi'n mynd i briodi Aneira."

"Nag ydw, ddim nawr. Rwy'n mynd i briodi Luned nawr."

Ymledodd gwrid yn araf dros wyneb y bachgen. Edrychodd yn ymbilgar ar ei chwaer, yn amlwg yn teimlo'n chwithig a dryslyd.

"Mae o'n deud y gwir, Geraint. Mi benderfynodd Marc ac Aneira beidio priodi yn y diwedd."

"O!" Daliodd Geraint i edrych yn anhapus, fel pe bai mympwyon oedolion y tu draw iddo.

"Fe fyddi di'n cynefino 'da'r syniad cyn hir," meddai Marc yn garedig. Ni phryderai gymaint â Luned am adwaith y llanc. "Dwed wrth y lleill fod 'da ni newydd da iddyn nhw." Wrth i Geraint ruthro i ffwrdd gyda rhyddhad amlwg, eisteddodd wrth ochr Luned. "Paid â becso. Fe gafodd e sioc, on'd do fe? Mae 'da ni broblem arall — ble'r awn ni i fyw?"

"Beth sydd o'i le ar dy dŷ di?"

"O, dim, mae'r tŷ'n iawn, a'r adeiladwyr wedi 'bennu o'r diwedd! Ond roeddwn i'n meddwl 'falle

175

na fyddet ti'n moyn byw yno, oherwydd i fi ei brynu fe i Aneira.''

Roedd Luned yn caru'r hen dŷ a'i ardd hyfryd. Gallai weld eu plant yn chwarae ac yn aeddfedu yno. Gallai ddychmygu Marc a hithau'n mynd yn hen yno, hyd yn oed.

''Fu'r lle erioed yn perthyn i Aneira mewn gwirionedd,'' meddai'n dawel, ''achos na chymerodd hi ddim diddordeb ynddo fo. Ond fyddet ti o ddifri wedi ei werthu o petawn i eisio?''

'''Nghariad annwyl i,'' meddai Marc dan roi ei fraich am ei hysgwyddau a'i thynnu ato, ''werthwn i e'n ddi-ymdroi pe bait ti'n gofyn i fi.''

Ymlaciodd hithau'n hapus a heddychlon yn ei freichiau, nes i syniad sydyn fynd drwy ei meddwl, a pheri iddi ymryddhau. Sut y gallai hi fod mor hunanol ag ymgolli'n llwyr yn ei phethau ei hun?

''O, Marc, fedrwn ni ddim priodi'n fuan iawn. Rhaid i mi edrych ar ôl y tŷ. Yr unig incwm sydd gennym ni ydi arian y lojers.''

''Nonsens! Maen nhw'n ymdopi'n ardderchog hebot ti.''

''Ond, Marc...''

''Dw i ddim yn bwriadu cweryla am helyntion teuluol ar ddiwrnod fel heddi,'' meddai Marc yn bendant. ''Does neb yn anhepgor. Doeddet tithe ddim llawer hŷn na Siwan pan ddechreuest ti ofalu am y lle hwn. Gad iddi hi wneud y gwaith gyda chymorth Mrs Davies. A'th dad a Geraint. 'Dy'n nhw ddim yn berffaith ddiymadferth, wyddost ti, a fyddi di ddim ymhell.''

Syllodd arno'n amheus.

''Dyma nhw'n dod,'' aeth ymlaen â thinc o ddifyrrwch yn ei lais. ''Gobeithio y gwnân nhw dderbyn y newydd yn well na Geraint. Jiw, jiw, mae'r bachgen wedi gweud wrthyn nhw eisoes!'' Dynesai Siwan a'i thad yn gyflym tuag atynt, a Geraint yn eu gwylio o ddrws y ffrynt.

Edrychai'r ddau'n syn ac yn gynhyrfus, ond yn sicr nid oeddynt yn ddig. Yn wir, fel y codai Marc i'w cyfarch, chwarddodd Siwan yn foddhaus a gwenodd Mr Wyn dan afael yn dynn yn llaw ei ddarpar fab-yng-nghyfraith.

'''Machgen annwyl i... Luned annwyl...'' Yna daeth mudandod drosto a dechreuodd Siwan siarad yn ei le.

Tra oedd ei chwaer fach yn clebran yn gynhyrfus, syllodd Luned a'i thad yn hir ar ei gilydd. Byddai popeth yn iawn. Byddai pawb yn siŵr o synnu o glywed eu newydd, ac anghymeradwyai rhai, bid siŵr. Ond am y bobl a'u carai, eu ffrindiau, byddai'r rheini'n siŵr o ddeall.

Doedd dim rhithyn o wahaniaeth am y gweddill. Gyda chariad Marc fel arfwisg amdani, teimlai Luned yn ddiogel rhag blinderau'r byd.